KB171868

감사의 말들

감사의 말들

발　행 | 2024년 08월 05일
저　자 | 진윤혜
펴낸이 | 한건희
펴낸곳 | 주식회사 부크크
출판사등록 | 2014.07.15.(제2014-16호)
주　소 | 서울특별시 금천구 가산디지털1로 119 SK트윈타워 A동 305호
전　화 | 1670-8316
이메일 | info@bookk.co.kr

ISBN | 979-11-410-9951-0

www.bookk.co.kr

감사의 말들

진윤혜 지음

CONTENT

Thanks to Friend

Thanks to Writing

Prologue

매일 나는 내가 누리고 있는 나의 삶에 대해 감사 일기를 쓴다. 자유롭게 움직이는 건강한 몸, 건강한 아이들, 착한 남편, 편안한 집, 좋은 친구들. 내가 누리고 있는 지금의 기적 같은 일상들에 감사하지 않을 이유가 없다.

나는 재혼을 했고, 늦둥이가 둘 있다. 지금 초등 2학년인 막둥이는 늦은 나이에 낳아서 그런지 기관지가 좋지 않아 한 번씩 아프면 숨을 제대로 쉬지를 못하고 쌕쌕거린다. 어젯밤에도 숨 쉬는 게 힘들어 밤새 잠 못 자고 뒤척이다 아침이 돼서야 겨우 진정이 되었다. 아픈 아이를 놔두고 글쓰기 수업을 들으러 가자니 뒤통수가 당겼지만, 초등 3학년인 늦둥이 형도 마침 기침하길래 둘이 오늘 게임이나 실컷 하라고 집에 놔두고 나는 내 마음을 챙기러 글쓰기 수업을 다녀왔다.

나는 면역이 되어 아이들에게 연연하지 않는다. 우리 24살 큰아들이 희귀성 난치병이라 중고등 시절 병치레하며 보내다 보니 내가 대범해진 것이다.

처음 병을 알게 되었을 때 큰아들이 어려서 치료법이 듣질 않아 절망스러운 상황이었다. 스테로이드 치료 후 얼굴이 심하게 부어 당장 치료를 그만둘 수밖에 없었고, 다른 주사 요법도 60%의 확률로 몸에 맞지 않을 수도 있었다. 도박하는 심정으로 아이의 치료법을 선택했어야 했다. 만약 주사 요법마저 듣지 않는다면 결국에는 수술해야 하는데 그 수술의 최악은 사망에 이른다는 병의 진행 과정을 들었다.

자식의 생명을 앞에 두고 선택하기가 두려웠다. 고통스러운 과정을 견디느니 아이를 안고 같이 죽어야겠다는 마음을 먹었더랬다. 그런 마음을 먹고 있던 즈음 세월호가 터지면서 나는 세월호 엄마들에게 정말 죄스러워졌었다. 단지 살아만 있어 달라는 엄마들의 간절함 앞에 나는 큰 죄를 지은 것만 같았다. 못났게도 나는 내 새끼가 아프다는 이유로 같이 죽으려 했다니….

이후 나는 정치 활동을 적극적으로 하면서 세월호 엄마들에게 속죄하는 마음으로 살았다. 바른 정치인들을 후원하고, 광장으로 뛰쳐나가 피켓을 들고 소리쳤다. 많은 사람을 만나며 함께하는 법을 배우고 사회 활동도 하면서 조금은 세상 물정에 눈을 뜨게 되고 차츰 성장해 나갔다.

내 삶에 장애는 언제 어디서든 생길 수 있다. 그 장애를 오늘 맞닥뜨리지 않은 것이 기적이라 나는 감사하다. 나는 내 일상에 다시 큰 장애가 찾아온다 해도 감사함으로 내 삶을 채우고 싶다. 더 단단해지고 싶다. 삶에 닥치는 그 큰 고난과 시련 앞에 무력한 우리가 할 수 있는 게 무엇이 있을까. 그저 나에게 주어진 이 모든 것에 감사하기. 오십 년의 인생 여정을 걸어오며, 가족이라는 이름 아래 마주한 수많은 어려움 속에서 결국 자신을 사랑하고 삶에 감사하는 것만이 진정한 길임을 깨닫게 되었다.

이 책을 쓰는 이유는 단순히 나의 이야기를 기록하기 위해서가 아니다. 나처럼 어려운 상황 속에서도 살아있음에 감사하고, 자신이 가진 것에 감사하는 마음으로 하루하루를 견뎌내는 이들에게 작은 위로와 용기를 전하고 싶어서다. 삶의 무게에 눌려 흔들릴 때, 그럼에도 불구하고 감사함을 품고 나아갈 수 있다면, 우리는 더 평온해질 수 있다고 믿기 때문이다.

나의 글이 작은 메아리가 되어, 우리 가정과 이웃에 감사함의 파도가 넘실거리게 된다면, 그보다 더 큰 기쁨은 없을 것이다. 이 책이 누군가의 마음에 닿아 그들의 삶에 작은 빛이 되어주기를 바라는 마음으로, 나는 이 글을 쓴다.

오늘 나에게 주어진 평온한 이 하루가 감사하다.

Thanks to Family

엄마를 추억하게 하는 막걸리

나는 술을 잘 마신다. 여기서 잘이란 '능수 능란하다'는 뜻과 '자주, 빈번하다'는 두 가지 모두가 해당이 된다.

우선 '능수 능란'에 대한 변을 하자면 나는 소주 두 병까지는 거뜬하다. 단, 섞어 마시지 않고 천천히 마실 경우에만 그렇다. 다음 날 영향이 있긴 하지만 두 병 마셨을 때는 취한 티가 전혀 나질 않는다고 한다. 남편도 잘 모르다가 냄새가 나면 술 마셨냐고 물어볼 정도이다.

'자주, 빈번하다'에 대한 변은 나는 낮에 마시는 막걸리 반주가 참 좋다. 그래서 맘 편한 이와 점심 약속이 있을 때는 막걸리 반주를 곁들이는 게 나의 큰 낙이다. 코로나 이후에는 가족들과의 저녁 식사에 막걸리에 걸맞은 반찬을 하는 날 반주로 한잔씩을 한다.

주로 내가 마시는 술은 소주와 막걸리이다. 맥주는 입가심으로 마시는 한잔이 딱 좋고 와인은 기내에서 주는 화이트 와인 마주앙이 젤 맛있으며 양주는 한번 마시고 심하게 만취한 이후로 마시지를 않는다.

가장 많이 마시는 술은 막걸리이다. 막걸리는 우리 엄마의 흔적이다. 스무 살쯤 나의 생리통은 절정에 달했고, 그럴 때 엄마는 나에게 약보다는 막걸리 한 잔을 먹으라며 한 병으로 엄마와 내가 나눠 마시곤 했다. 그게 엄마와 나의 소소한 낙이었고, 결혼을 하고 큰 아이와 친정엘 가면 엄마는 나와 막걸리 한 병을 달디 달게 마시고 한잠 곤히 주무셨다. 내가 가지 않으면 엄마는 잠도 못 자고 입맛도 없다고 하시는데 내가 가면 밥도 많이 드시고 잠도 잘 주무셔서
"엄마, 뻥 아니야?"
라며 놀리곤 했다.

엄마는 이야기하기보다는 그저 내 말을 들어주시는 편이었고, 내가 하는 어떤 이야기에도 나를 타박하거나 잔소리하지 않으시고 속으로 감내하시는 분이었다. 엄마의 동생인 이모는
"그렇게 까칠하고 못된 언니가 미야한테는(집에서 부르는 내 이름) 꼼짝을 못 하는 거 보고 너무 놀랐다."
고 말씀하셨다.

자식들과는 편안한 엄마였지만 아빠와는 사이가 좋지 않으셨다. 아빠의 바람기 때문에 홧병이 있으셨다. 우리 아빠는 오빠와 나에게 그리고 아빠의 동생들에게는 한없이 다정하고 좋은 분이셨는데 인물값을 하시느라 엄마의 속을 상하게 하셨다.

엄마는 많이 우울해 하셨고 화초를 키우며 마음을 달래곤 하셨지만 화초로는 채우지 못하는 마음이셨는지 급성심근경색으로 환갑의 나이에 멀리 떠나셨다. 아빠도 엄마에게 속죄하는 마음이셨는지 이년 후에 폐암으로 엄마를 따라가셨다.

난 막걸리만 보면 엄마와의 소박했던 그 시간이 떠올라 기분이 좋고 행복해진다. 특히 비 오는 날 엄마의 주특기인 찌짐을 내가 엄마처럼 부치고 아이들을 먹이면서 막걸리 한잔을 하고 있으면 엄마와의 그 시간으로 나는 돌아간다. 엄마가 했던 이야기, 엄마의 옷, 엄마의 주방, 엄마의 웃음.

막걸리가 있어 엄마를 추억할 수 있으니 이 또한 감사하지 않을 수가 없다. 오늘도 나는 막걸리 한잔에 엄마를 만나고 엄마를 그리며 그렁그렁 행복해진다.

나는 용서한다.

나는 전남편을 용서한다. 아니, 용서라는 단어조차 부족하다. 그분은 나를 '나'에게로 이끌어 준 큰 스승이었으니, 진심으로 감사드린다.

아무 생각 없이 그저 놀기만 좋아하던 20대, 나는 나의 전남편을 만났다. 무엇이든 내 뜻대로 다 해줄 것만 같았고, 나를 편안하게 해줄 것만 같았던 사람이었다. 그러나 현실은 달랐다. 돈을 잘 쓰고 술을 좋아하는 사장님이었던 그에게는 많은 여자가 따랐고, 그는 그 관심을 즐기며 여자들을 좋아했다. 집에만 있던 나를 촌스럽다고 비웃고, 아무것도 모른다고 무시하며 나를 힘들게 했던 그.

그 고통 속에서 나는 비로소 나 자신을 찾기 시작했다. 요가를 공부하며 몸과 마음을 다스리는 법을 배웠고, 삶을 공부하며 '나는 누구인가'라는 근본적인 질문을 던지기 시작했다. 전남편과의 관계에서 벗어나기까지 지난한 과정을 겪었지만, 결국 나는 그를

놓아줄 수 있었다. 그리고 이제는 진정으로 말할 수 있다. 나는 그를 용서했다.
더 나아가, 그를 용서하는 것이 아니라 감사함을 느낀다. 그가 아니었다면, 나는 오늘의 나를 만날 수 없었을 것이다. 그는 나를 나 자신에게로 이끌어 준 스승이었고, 나는 그에게 진심으로 감사드린다.

나는 나의 현 시어머니를 용서한다. 아니, 이미 용서했다. 이제는 시어머니가 나의 두 번째 스승임을 받아들이고 있다. 당신의 장남이 재혼인 데다 아들도 있고, 나이까지 많은 여자를 아내로 맞이하려 하니, 당신의 마음이 얼마나 무거웠을지 이해한다. 오랜 갈등 끝에 나와 마주한 첫날, 나를 며느리로 받아들이셨지만, 그 이후의 10여 년은 나에게 고통의 시간이었다. 하지만 이제 나는 그 시간을 다른 눈으로 바라본다.
시어머니가 아니었다면, 나는 아마도 나 자신을 향한 여정을 멈췄을 것이다. 당신 덕분에 나는 나를 위한 공부를 시작할 수 있었고, 나 자신에게로 가는 새로운 길을 찾게 되었다. 당신의 날카로운 말과 차가운 시선이 나를 더욱더 강하게 만들었고, 이제는 그 모든 것에 감사함을 느낀다.

그리고 이제 나는 나 자신을 용서하려 한다. 30대에

남편에게서 놓여나지 못하고 있었던 나를, 40대에 시어머니에게 얽매여 있던 나를, 나에 관한 공부를 스스로 시작하지 못하고, 타인의 매질을 통해서야 비로소 길을 걷기 시작한 나를. 그럼에도 불구하고 나는 잘해왔다. 모진 시련에도 쓰러지지 않고, 포기하지 않았으니, 그런 나 자신을 대견하게 여기며, 나 자신에게 감사한다. 나는 오늘도 나를 향해 한 걸음씩 나아간다.

전남편과 화해하기

나는 전남편과는 사이가 좋지 않았다. 그러나 지금은 나의 전남편에게 아주 고마워하고 있고, 진심으로 그분이 먼 곳에서 평안하시길 바란다.

나는 그분과 화해를 한 셈이다. 화해의 과정은 더디고, 지난한 시간을 요하는 일이었다. 전남편은 나보다 나이가 많아, 나를 어린아이 취급하며 무시했다. 꼭 나이 때문만은 아니었을 것이다. 그는 술도 잘 마시고, 돈도 잘 쓰며, 항상 양복을 입고 사복조차 고급 매장에서 진열된 옷들로 쫙 빼입는 사람이었다. 차도 좋은 차를 탔고, 어디서나 전형적인 '사장님'의 풍모를 풍겼다. 그분에 대한 험담이 아니다. 다만, 그와 나는 사이가 좋지 않았다.

결국 나는 그분의 여동생, 나의 시누이가 살고 있는 제주로 마치 피신이라도 하듯 내려왔고, 그 이후로

쭉 제주에서 살아가고 있다. 지금 와서 돌아보면, 그 모든 과정이 결국 나를 나 자신에게로 이끌기 위한 길이 아니었을까 싶다.

그분과의 화해는 그와 마주 앉아 한 것이 아니라, 나 혼자 잘 살고 싶어서 했던 과정이다. 바닥을 치다 못해 땅 밑으로 꺼져버린 내 자존감과 천성적으로 밝고 쾌활했던 나 사이의 간극은 나를 참 많이도 힘들게 했다.

결국 그 화해는 그분을 위한 것이 아니라, 나 자신을 구하기 위한 몸부림이었을지도 모른다. 그간의 상처와 아픔을 딛고 일어서기 위해, 나는 스스로와의 긴 싸움을 시작했다.

그 시절 나를 잘 아는 언니의 소개로 중앙성당의 수녀님과 상담을 시작했다. 수녀님은 아주 유쾌하시고 좋은 분이었다. 3년간 수녀님과의 상담은 3년여 계속되었으며, 상담 과정 중에 수녀님은 알아넌 자조모임에도 나를 연결해 주셨다. 알아넌 자조모임은 가족 중에 알코올 중독자가 있는 사람들의 모임이다. 전남편도 거의 알코올 중독자에 가까웠다고 수녀님은 판단하셨다. 상담을 종료한 이후 자조 모임에는 한동안 더 다녔다.

나에게 큰 위로와 치유의 시간을 안겨준 알아넌 자

조 모임. 수녀님과 상담하는 동안 서귀포 면형의 집 집단상담 워크숍도 다녀오고, 드라마 치료도 받고, 여러 방법으로 나를 일으켜 세우는 시도를 할 수 있었다. 나는 참 많은 사랑을 받았다. 삶이 팍팍하고 고통스러울 때 잘 버틸 수가 있었던 건 나를 둘러싼 사랑이 많으신 분들 덕분이다.

마지막 상담 시간이 잊히지 않는다. 상담실의 의자에 앉아 수녀님을 기다리고 있는데 맞은편에 못 보던 액자가 보였다. 수녀님이 들어오시자 나는
"수녀님 저 액자를 새로 달았나 봐요?"
여쭸더니 수녀님께서 깜짝 놀라시며 저 액자가 걸려 있은 지 5년이 넘었다고 말씀해 주셨다.
그 말을 들은 나는 그만 펑펑 울고 말았다.
"당신은 존재 자체로 사랑받기에 충분합니다."
이런 뉘앙스의 말이었는데 정확히 기억은 안 난다.
그랬다. 나는 3년간 상담을 받으면서 저 말을 애써 외면했던 건지, 보고도 그 말을 믿을 수가 없어서 외면했던 건지는 알 수 없으나 상담 종료하는 날 마치 드라마처럼 그 말이 눈에 들어왔다.

그 이후에도 나를 바로 세우는 데는 꽤 긴 시간이 걸렸다. 그러나 이제는 내가 나 스스로 설 수 있게 된 거 같다. 나이 오십이 넘어서야 나라는 존재 자체

로 나 자신을 사랑하는 시간을 맞이하고 있다. 감사한 일이다.

이제는 나의 전남편 그 분에게 깊은 애도와 함께 축복과 감사를 보내며 진정한 화해를 마치고 그분의 흔적으로부터 완전히 자유로워졌음을 이 자리에서 외치고 싶다.
"나는 존재 자체로 사랑받기에 충분한 사람이다!"
그곳에서 항상 평안하시길~()

재혼해서 행복하게 살고 있습니다.

한때 시어머니 문제로 힘들었던 시절 법륜스님의 영상을 보고 정말 도움을 많이 받았다. 스님의 말씀 중 기억에 남는 것은
"지금의 내 아들이 나의 아들로 생각되는 것처럼 시어머니에게 나의 남편은 당신의 아들로 여겨질 테니 그걸 받아들이세요"
그렇겠구나. 아들과 엄마의 연을 끊을 수 없지 않은가. 그 말씀에 힘입어 마음이 조금씩 편해졌다.

얼마 전 스님의 영상을 다시 보게 되었는데 스님의 즉문즉설 강연장에 한 어머니가 질문을 하셨다.
"저는 30대에 사별 후 두 아이와 재혼하고 30년 잘 살아왔습니다. 그런데 결혼을 앞둔 딸이 저를 닮아 짜증이 많은데 저처럼 두 번 결혼할까 걱정입니다. 어떻게 참회하면 될까요?"
질문을 들은 스님은

"스님은 한 번도 못 해 본 결혼을 두 번이나 했다고 자랑하는 거제?"
라며 스님 특유의 농으로 밀문을 여셨다. 그러고는 이렇게 답해주셨다.
"아무런 잘못을 한 게 없어요. 성질이 더러워서 이혼한 것도 아니고, 사별하고 재혼해서 잘 살았는데 무슨 참회를 해요. 짜증은 안 내면 되는 거요. 딸에게 엄마 닮아 잘살 거라는 축원을 해주면 됩니다"
명쾌하다. 재혼한 나로서는 마치 면죄부라도 받은 양 속이 뻥 뚫렸다.

나는 스님의 영상을 보지 않았을 때도 내가 재혼한 사실을 아무 거리낌 없이 사람들에게 말했다. 그러면 간혹 놀라는 사람들이 있긴 하다. 그런 얘기를 스스럼없이 한다는 게 놀랍다는 반응들이다. 어느 지인은 거짓말하지 말라며 극구 안 믿어서 내 재혼을 증명해야 하나 싶으면서 상처를 받은 적도 있다. 나는 대답한다.
"재혼이 죄도 아니고 말 못 할 게 뭐 있어요. 저는 지금 행복하게 잘 살고 있어요."
나는 양가 집안 어르신과 지인들 모두 모인 자리에서 엄청난 축하와 환호를 받으며 결혼식을 올리고 지금까지 잘 살고 있다. 나의 재혼 사실을 굳이 숨기고 싶지도 않았고, 되려 더 당당히 밝히고 싶다. 내가 내 결혼을 부끄러워하고 숨기는 건 내 아이들의 존재를 부정하는 것이 되는 것만 같아 더욱 싫다.
이혼이나 재혼이 부끄러운 것도 아니고 죄는 더욱 아니다. 내가 맞고 산 것은 아니지만 맞고 사는 부인이 그 모습을 아이들에게 고스란히 보여 주며 참고 사는 것 혹은 허구한 날 남편과 부인이 싸우는 모습을 보여 주는 것, 그게 아이들에게 얼마나 큰 고통을 주는 것인지 안다면 오히려 그게 더 죄가 아닐까.

우리가 흔히 하는 말실수 중에 '틀리다'와 '다르다'를 잘 못 쓰는 경우가 있다.
'이 모양은 저 모양과는 틀려' 는 '이 모양과 저 모양은 달라'라고 해야 맞는 표현이다.
쉽게 이해하자면 '틀리다'의 반대말은 '맞다 '이고 '다르다'의 반대말은 '같다'이다. 엄연히 너무 다른 말이건만 혼동해서 쓰는 경우가 많다.
이건 인식의 문제라고 생각한다. 너와 나의 모습이 다르고, 생각이 다르다고 인식해야 할 경우에도 우리는 너와 나의 모습이 틀린다는 것으로 표현하고, 너와 내 생각도 틀리다라고 말하고 인식을 하는 것 같다. 다름을 틀리다라고 인식하는 경우, 우리와 같지 않으므로 지탄의 대상이 되고 배제의 대상이 되기도 하는 것이다.

모두가 첫 결혼 생활을 평생 행복하게 이어가는 시대는 아니지 않은가. 재혼을 할 수도 있고, 비혼을 선택할 수도 있고, 딩크족을 선택하고 충만하게 살 수도 있다. 평균치의 삶의 양식과 다른 것이 틀린 것은 아니다. 우린 모두 다양한 삶의 형태로 자신들만의 삶을 채워나가는 중이다. 나와 다른 누군가를 보면 그 만의 세상을 존중해주고 수용해주는 유연한 사고방식을 가지면 좋겠다.

나에게 거짓말하지 말라던 그 지인에게 딱히 연락하지 않는다. 그리 꽉 막힌 사람과는 굳이 인연을 이어가고 싶지 않아서이다. 특별한 한 사림의 역사를 틀림으로 대하는 순간 그는 상처받을 수도 있지 않은가. 나는 재혼해서 행복하게 잘 살고 있다. 그렇게 더 많이 말하고 싶다. 세상 사람들의 편견이 나로 인해 조금이라도 깨어졌으면 하는 바람으로 나는 더 큰 소리로 말을 하겠다.

"나는 재혼해서 행복하게 잘 살고 있습니다."

새아빠 헌아빠

큰아들이 왔다. 두 달에 한 번씩 오는데 올 때마다 반갑고 좋다. 오면 보통은 3박4일 일정으로 머물다 가지만 이번에는 학기 중이라 2박3일만 있다가 간다.

초등 저학년인 동생들과 나이 차이가 많이 나다 보니 삼촌 같은 형아다. 나의 바람이 있다면 큰아들이 결혼하고 아이를 낳아 제주에 놀러 오면 둘째 셋째가 어린 조카를 돌봐주는 거다. 큰아들이 동생들 기저귀도 갈아 주고 업어 주고 밥 먹여가며 돌봐줬듯 삼촌이 될 아이들도 조카를 봐준다면 그것만큼 흐뭇한 게 어딨으랴. 십 년쯤 후에 꼭 보고 싶은 나의 로망이다.

우린 재혼 가정이다. 큰아들 성은 하 씨이고, 둘째 셋째는 김 씨이다. 큰아들 11살 때 재혼했다. 물론 큰아들과 함께. 재혼을 결심하면서 나와 남편과의 사랑도 중요했지만 나에게 가장 중요했던 건 남편과 큰아들과의 관계였다.

아이가 9살 무렵 난 승마에 푹 빠져 있었다. 주말이면 한라산 중턱에 있는 우리 동호회 승마장에 가서 신나게 말을 타고 사람들과 즐겁게 시냈었다. 여러 회원이 주말마다 모이는 승마장이다 보니 자연스레 아이들도 함께였었고, 우리 아들은 승마장 한쪽에서 다른 아이들과 연도 날리고 게임도 하며 잘 지냈었다. 그러다 지금의 남편이 승마장에 놀러 오게 되었고, 그 이후 계속 오더니 아이들과 재밌게 놀아주는 멋진 삼촌이 되어주었다.

 이후 남편과 내가 사람들 몰래 연애하면서 아들도 항상 함께 놀러 다녔는데 아들은 바랑삼촌(남편 닉네임이 바랑이다. 바다 사랑 줄임)을 너무 좋아하는 게 아닌가. 어느 날엔가 바랑 삼촌이 우리 아빠였으면 좋겠다고 말하는 순간 바랑과 나는 만감이 교차하면서 우리의 결혼에 대해 확신을 가지고 밀고 나갈 수가 있었다.

 요즘은 재혼 가정이 많아져서 새엄마 새아빠가 많을 것이다. 모든 새엄마 새아빠가 우리의 고정 관념에 박힌 이미지처럼 나쁘지 않다는 것쯤이야 모두가 알 터이지만 그래도 나는 아이와 함께 재혼을 선택하는 사람들에게 좀 더 신중하기를 권하고 싶다. 신경 쓸 게 너무나 많다. 초혼은 나와 그 그리고 우리 집안과 그의 집안으로 관계가 이루어지지만, 재혼은 많은 사람의 관계들이 얽히기 때문에 갈등 구조도 훨씬 복잡해진다.

나는 결혼을 신중하게 잘했다는 결론을 내릴 수는 없다. 우리 큰아들과 남편과도 갈등이 있었다. 피시방 문제로. 그러나 자신 있게 말할 수 있는 건 지금의 우리 남편은 큰아들에게 항상 최선을 다했다는 사실이다. 이건 내가 우리 남편에게 너무나 고마워 하는 부분이다. 친아빠도 우리 남편만큼 하는 사람 많지 않은 걸 안다. 그리고 20대 아들과 40대의 아빠는 친아빠라도 데면데면하다는 얘길 많이 들었다.

오늘처럼 아들이 집에 올 때 눈치를 보거나 오기 싫어하지 않는다는 건 엄마가 있는 집이 편하다는 반증일 것이다. 엄마가 있어서 편하기도 하지만 새아빠와도 편하다는 게 아닐까. 친아빠랑은 7년 살았지만, 새아빠와는 11년을 살았으므로 이제는 헌아빠가 되어간다.

나를 위해 우리 가족을 위해 그리고 자신들을 위해 잘 지내주는 남편과 아들이 가슴 저리게 고마운 오늘이다.

엄마가 우울해서 빵 샀어.

한때 여러 SNS에서 돌아다니던 밈이 있었다. 아이의 성향을 MBTI로 구분할 수 있는 질문을 하고 어떻게 대답하는가에 따라 T와 F를 구분하는 영상이라며 엄마들이 열광했었다.
"엄마가 슬퍼서 빵을 샀어."
라고 아이들에게 물어보면
"무슨 빵 샀어?", "빵은 어딨어?"
라며 빵에 관심 보이는 반응은 분석형 T.
"왜 슬퍼?", "그래서 지금은 괜찮아?"
라는 엄마의 기분에 관심 보이는 반응은 공감형 F.

나도 궁금해서 우리 집 4명의 남자에게 돌아가면서 물었다. 먼저 남편에게
"내가 우울해서 빵을 샀어."
"자기 빵 안 좋아하잖아"
대문자 T 남편.
"왜 속상해? 근데 빵은 어딨어?"
소문자 t 둘째 아들.

"왜? 또 엄마의 엄마가 보고싶어?"
대문자 F 막둥이. 이전에 엄마가 보고 싶다며 막둥이 앞에서 운 적이 있다. 그게 언제적 일인데 기억하고 있었나 보다. 나를 쏙 빼닮은 우리 막둥이.

그리고 큰아들에게는 질문에 한마디를 덧붙였었다.
"엄마가 요새 좀 우울하네. 갱년긴가. 그래서 빵을 많이 샀다."
돌아오는 아들의 대답에 빵 터졌었다.
"한낱 인간이 호르몬을 이길라 하믄 안된다."
그러면서 맛난 거 사먹으라며 5만 원을 보내왔다. F인지 T인지는 모르겠으나 너무 기특하고 재밌기도 해서 여기저기 이야기를 하고 다녔다. 아들에게 처음 받아본 현금 용돈이라 기분이 좋기도 하고 묘했다.

고마움의 표현은 현금으로 하는 게 제일 좋다는 말이 생각난다. 공감도 돈으로 하는 세상인 건가? 대문자 F도 T도 현금 앞에서는 다 무용지물인건지, 암튼 고맙다고 인사하고 그 돈으로 맛있는 걸 사 먹는 나는 F다.

중요한 건 결국 마음의 표현이 아닐까. 아무리 물질적 표현이 늘어나더라도, 그 속에 담긴 진심을 잊지 말아야 한다. 아들의 작은 용돈 속에 담긴 큰마음을 느끼며, 나 역시 그 마음을 잊지 않으리라. 고마운 사람에게 고마운 마음 표현하기. 감사한 마음 현금으로든 마음으로든 제때제때 표현하고 살기. 잊지 말자.
“아들~엄마 마음 헤아려줘서 고마워~ ”

바보 김종민

김종민은 다 알다시피 바보 캐릭터로 늘 어버버하면서 방송에서 편안한 웃음을 준다. 누가 뭐라해도 허허 본인을 놀려도 허허허 그런 캐릭터 덕분인지 큰 문제 없이 오래 방송하고 있다.

오랜만에 넋을 놓고 짧은 영상들을 보고 있었는데 하하가 김종민에게 고민을 털어놓는 장면이 나왔다.
"나는 너무 부정적인 사람이라 고민이다"
라고 했더니 김종민이
"형 긍정적인 사람은 비행기를 만들지만, 부정적인 사람은 낙하산을 만들어요~"
라고 대답한다. 놀라웠다. 그 말에 하하도 감동받은 얼굴로 멍하니 김종민을 쳐다본다. 정말 바보라고 생각하지도 않았지만 그런 현자가 속에 들어있을 줄이야.

지금의 우리 남편은 부정적인 사람이다. 나는 매사에 부정적인 우리 남편을 놀리거나 비난하기 일쑤였지만, 그런 남편 덕분에 생활비 걱정은 안 하면서 내가 하고 싶은 일에 집중할 수 있었다. 나는 늘 비행기를 꿈꾸고 남편은 늘 떨어질 걱정에 낙하산을 만드느라 고생을 하는 모양이다. 김종민의 말을 듣고 보니 부정적인 게 아니라 안전 지향 주의다. 새삼 또 감사하다. 그동안 부정적이라고, 대문자 T라고 놀린 거 사과해야겠다. (마음속으로)

나도 나 자신의 특성을 나만의 고유함으로, 나만의 정체성으로 인정하기까지 시간이 걸렸지만, 이제는 나를 나 자체로 보기 시작했으니 나와 남은 생의 많은 시간을 함께할 남편도 이제는 바로보기 시작해야겠다. 그만의 정체성을 고유함으로 인정하면서 느긋하게 바라보기. 존중. 백 세까지 친구처럼 적절한 거리두기를 하면서 편안하게 지낼 수 있겠다는 마음을 새겨본다.

우리는 비행기와 낙하산, 두 가지 모두를 필요로 한다. 하늘을 날고자 하는 꿈도, 안전하게 내려오는 현실도 모두 소중하다. 남편과 나는 서로 다른 성향 덕분에 균형을 이루고, 서로를 보완하며 살아간다. 나의 비행기가 그의 낙하산 덕분에 더 높이, 더 멀리 날 수 있음을 인정하기 시작한 것이다.

앞으로도 함께 꿈꾸고, 함께 현실을 살아가야지. 그 속에서 우리는 서로의 진정한 의미를 발견하게 될 것이다. 사랑과 존중, 그리고 감사의 마음으로.

"고마워, 여보. 이제 우리 함께 서로의 고유한 아름다움을 존중하며 (적당한 거리를 두고) 백 세까지 함께 하자"

돈삼겹 외식

일요일에 일이 있어 광주에 다녀왔다. 비행기에서 내려 남편에게 전화하니 저녁을 나가서 먹자고 한다.
"메뉴는?"
"돈삼겹 가게"
이 말은 말이 또 꼴등을 했다는 뜻이다. 이럴 땐 군말 없이 따라가는 게 상책이다.

남편은 부업으로 말을 키운다. 나와의 첫 만남도 승마동호회에서 이루어졌다. 주중에는 평범하게 직장엘 다니고 주말에는 말이 있는 목장에서 말 조련을 한다. 남편이 키우는 말들은 제주 경마장 경기에 출전하여 어떤 날은 꼴등도 하고 때론 우승도 하면서 성적에 따라 상금을 받는다. 선수로 뛰는 말은 경마장에서 한 달간 숙식을 하는데 꽤 많은 돈이 들어서 좋은 성적을 내지 않으면 심하게 적자가 난다.

돈삼겹은 집 앞에 있는 대패삼겹살 집으로 내가 대패삼겹살을 좋아하기도 하지만 우리 4식구 실컷 먹어도 갈빗집보다는 돈이 적게 나오는 이른바 가성비 맛집이다. 말이 꼴등을 해서 힘 빠지는 날에는 남편은 가족들에게 맛있는 걸 사주고 맛있게 먹는 모습을 보면서 힘을 내고 싶은 건지도 모르겠다.

가장의 무게를 나는 감히 짐작하지는 못하지만 힘든 하루의 끝자락에 통닭을 사고 아이스크림을 사 오던 우리 아빠의 마음이 이러지 않았을까? 힘이 들었고 다 때려치우고 싶고 울고 싶은 그런 날에 자식 입에 먹는 거 들어가는 걸 보면서 위안으로 삼고 다시 살고 싶어지는 그런 마음.

아빠는 내가 어릴 때 자고 있어도 꼭 먹는 걸 입에 넣어주며 나를 깨우셨다. 그러면 엄마는 뭐라 그러시지만 나는 자다가도 일어나서 그걸 다 먹고는 다시 자곤 했다. 그렇게 아빠는 다시 힘을 냈고 다시 일을 하셨겠지.

나도 요즘은 하는 일이 많아서 저녁때가 되면 저녁하기가 힘들어지곤 한다. 두 아이는 어린 새 마냥 배고프다고 입을 쫙쫙 벌리고 짹짹거린다. 후다닥 밥을 하고 두 녀석이 엄지를 치켜세우며 여긴 맛집이라고 엄마는 장사해도 되겠다는 말들을 쏟아내며 두 그릇 세 그릇 비워내는 걸 보면 그래 사는 게 뭐 별건가 싶다. 내 새끼 입에 밥 들어가는 거만큼 보기 좋은 게 어디 있겠나.

돈삼겹의 한 끼 맛있는 식사로 남편도 심리적인 곳간에 밥을 채우고 우리 새끼들도 배를 채우고. 그렇게 우린 외식으로 우리 가족의 허기를 채우는 저녁을 보낸다.

삶의 무게를 함께 나누는 것, 그것이 가족의 힘이다. 어려운 순간에도 함께 밥을 먹으며 웃고, 서로를 격려하는 시간이 쌓여 우리의 일상이 된다. 때론 힘들고 지칠 때도 있지만, 그런 순간들이 모여 서로의 존재가 얼마나 소중한지 깨닫게 된다. 우리 가족이 함께하는 모든 순간이 바로 그런 의미 있는 시간이다.

삶이란 결국, 함께 나누는 작은 순간들이 모여 만들어지는 것이 아닐까. 남편과 아이들, 그리고 내가 함께하는 이 순간들이야말로 진정한 행복의 비결임을 깨닫는다.

"고마워, 여보. 고마워, 내 사랑하는 아이들. 오늘도 함께여서 행복하다"

오늘도 감사한 하루가 지나간다.

추억이 쌓여가는 오늘

5월 25일 음력으로 4월 18일 친정아버지 제삿날이다. 이번 제사에는 남편이 아이들을 데리고 제사 지내러 가자고 한다. 나는 고향이 부산이다.
"간 김에 부산 여행도 하자"
나는 썩 내키지는 않았지만
"그래 알겠어."
애써 마음 내어 준 남편에게 딴소리하기 싫어 대답해 둔 상태였다. 가기 일주일 전 오빠에게 전화하니 제사 며칠 뒤 이사한다고 어수선하니 이사하고 놀러 오라고 한다.

상황이 이러니 어쩔 수 없이 육지 여행은 포기다. 기대하고 있던 아이들을 실망시키기 싫어 도내 호텔을 가기로 하고 알아보다, 돈도 좀 아끼고 나이 많은 엄마 좀 덜 힘들어지고 싶어서 원하는 관광지를 토, 일 이틀간 가는 것으로 아이들과 합의를 보았다.

토요일은 구도심 쇼핑과 동문 시장 먹거리 투어로 마무리하고, 일요일은 동쪽 여행을 떠나는 것으로. 초등 저학년인 아이들은 미로찾기를 하고 싶어 해서 김녕 미로 공원으로 출발했다. 우선 우리 가족은 대식가이므로 한식뷔페에서 든든하게 아점을 먹고 김녕미로공원 도착. 예전에 큰아들과 왔을 때보다 아이들이 신나게 놀 수 있는 부대 시설이 더욱 많아졌다.

김녕미로공원은 우리나라 최초의 미로공원으로 세계적으로 유명한 미로 디자이너인 영국인 애드린 피셔가 김녕미로공원 설립자 더스틴 교수와 1983년부터 3년여 간의 노력 끝에 제주도의 역사를 상징하는 7개의 상징물로 이루어진 미로 디자인을 만들었다. 1987년부터 미로의 나무를 키워, 1995년 7월에 미로공원 개장을 하였다. 지금은 고양이 왕국으로 고양이들이 곳곳에서 사람들의 손길을 즐기고 있다.

초등 2, 3학년인 우리 아이들도 미로찾기에 최선을 다하며 뛰어다니다 성공 지점에서 종도 울리고, 처음 보는 발 자전거도 실컷 탔으며, 아이들을 위해 만들어진 숲속 놀이터, 고양이 왕국 비밀 정원, 대나무 숲길 등에서 알차고 즐겁게 지냈다. 여기저기 낮잠을 즐기던 고양이도 만져보고 교감을 즐긴다. 놀이터에

선 부슬부슬 내리던 비에 무료로 나눠 준 비옷을 입고는 땀으로 옷이 푹 젖을 정도로 신나게 놀았다. 비가 와서 불편하기도 했지만, 비 오는 숲속에서 아이들이 즐겁게 노는 모습을 보고 있는 그 순간도 참 행복했다.

슬슬 고파지는 배로 아쉽지만, 다음을 기약하며 미로공원을 나와 식당으로 이동하는 길에 발견한 김녕 바다, 지나칠 수가 없었다. 그 옆 편의점에서 간단하게 요기하고 하늘은 흐리지만 너무나 아름다운 김녕 바다에서 우린 또 그렇게 시간을 보냈다. 바지를 둥둥 걷어 물속에서 옅은 에메랄드색 바다를 이리저리 거닐며 놀았다. 모래가 묻은들 힘들까 씻는 곳이 마땅치 않은들 짜증이 날까 그저 즐겁고 충만한 시간이다.

마지막으로 남편이 모임에서 너무나 맛있게 먹은 집이라며 데려간 양고기 집에서 푸지게 식사를 마치고 집으로 돌아오는 길에는 아이들이 원하는 아이스크림 한 통씩까지 안겨주었다. 심하게 완벽했다. 돌아오는 차 안에서 아이들은 너무 즐거웠다며 1위부터 5위까지 재밌었던 놀이 순서도 매긴다.

문득 그 순간에 돈을 잘 벌고 싶다는 생각이 들면서

남편의 얼굴을 보니 안쓰러웠다. 남편은 돈을 참 아낀다. 본인에게는 인색한데 가족에게는 아낌이 없는 사람이다. 이번 여행을 위해 남편이 했을 노동과 마음 씀씀이 내리는 부슬비처럼 잔잔하게 나에게 스며들어왔다. 본인의 점심 밥값이 아까워 집에 들러 밥을 먹거나 도시락을 싸거나 때론 굶기도 하는 남편. 나하고는 뭐든 맛있는 거 먹자고 하는 남편. 친정 부모님은 안 계셔도 우리 오빠네 그리고 고모 이모에게도 귤이며 고기들을 잊지 않고 보내는 남편. 남편의 마음이 내내 고마움으로 다가오는 시간이었다.

우리 가족은 아직 해외여행을 간 적이 없다. 1년에 한 번씩 육지 여행만 한다. 맞벌이이지만 실제로는 외벌이인 우리 가정 형편상 육지 여행만으로도 나는 감사하다. 남편은 참 넘치지도 모자라지도 않는 사람이다. 때론 답답하지만 늘 한결같음에 이제는 남편에게 매우 고맙다.

새롭고 낯선 여행지를 많이 보는 것도 좋지만, 남편의 마음과 아이들의 추억이 쌓여가는 시간을 들여다본 이번 여행은 나에게 더더욱 따뜻하고 감사한 여행이 되었다. 남편의 사랑과 헌신, 그리고 아이들의 밝은 웃음이야말로 우리 가족을 지탱하는 힘이라는 걸 다시금 깨달았다.

결국, 여행의 참된 의미는 새로운 장소를 방문하는 데 있는 것이 아니라, 사랑하는 사람과 함께하는 시간 속에서 찾을 수 있다. 우리의 일상 속에서도 이런 작은 행복을 자주 발견하며 감사하는 마음을 잊지 않고 살고 싶다.

"고마워, 여보. 그리고 사랑하는 우리 아이들. 함께하는 이 순간들이 우리 가족의 가장 소중한 보물이야."

따뜻한 봄날 나의 바랑에게

오늘은 내가 글수다 수업에 가는 날이잖아. 수업 가는 길 해안동 입구에서 공사를 하느라 해안동 저 골짜기까지 빙 둘러서 갔거든. 가다가 보니 자기네 문중 묘제 지내는 곳 지나게 돼서 자기 생각이 나더라. 맨날 본가 집안일에 회사 일에 말까지 키우느라 힘든 우리 신랑.

나 100일 글쓰기 방에서 다른 분들이 글 올리는 거 읽다가 알게 된 이야기가 있어. 부부가 보통 10여 년까지는 지독하게 싸우다가 15년 정도 되면 다들 서로를 이해하고 받아들이며 측은해하고 동지처럼 잘살게 된다네. 우리 벌써 결혼한 지도 14년이다. 그치. 종원이가 벌써 24살이니.

나는 한동안 내 말을 못 알아듣고 내 편을 안 들어준다며 자기를 엄청 힘들게 했었잖아. 맨날 구박하고 비난하고. 미안해 정말 미안해.

내가 글을 쓰기 시작하면서 감사일기도 쓰기 시작했거든. 올해 1월 1일부터 매일 15가지씩. 가끔 빼 먹기도 하지만 그래도 정말 꾸준히 계속 쓰고 있는데 15가지나 쓰다 보니 자기에 대한 감사를 매일 빠지지 않고 쓰게 되더라.

3월 어느 날 문득 감사 일기 맨 앞장을 들춰 보니 거기에 '나는 저 사람이랑 안 살고 싶다. 진짜 싫다.' 이렇게 적혀 있더라고. 너무 놀랐어. 1월 1일에 그렇게 싫던 남편이 감사 일기 두 달 만에 이렇게 고맙게 느껴질 줄이야. 그렇다고 당신이 나에게 크게 다르게 해준 것도 없이 늘 한결같았는데. 신기했어. 내가 자기에게 워낙에 강하게 세뇌를 시켜서인지 요즘은 대답도 긍정적으로 잘하고 리액션도 잘해서 나도 참 좋아. 내가 변해야 상대도 변한다는 말이 진리인가 봐. 나의 글쓰기 선생님의 말씀처럼 서로에 대한 기대를 내려놓는 시기 15년이 되어서 그런가.

나는 요즘 우리 가족과 함께하는 시간이 참 행복하고 좋아. 그리고 늘 나를 배려해주고 나를 위해 많은 걸 해주려는 자기의 그 마음도 정말 고마워. 잠깐! 내가 이 편지를 썼다고 해서 내가 더 잘할게 이런 말을 기대하겠지만 나에게 그런 기대는 하지 마. 헤헤.

난 그냥 지금처럼 할 거야. 그래도 되지? 자긴 지금 보다 조금 더 노력해 봐봐~~^^

그리고 우리 건강하자. 알다시피 나는 심뇌혈관 나이가 34세잖아. 분발해~~ 나보다 먼저 죽으면 안 된다. 누나가 동생 장례를 치러서 쓰겠냐?~
많이 고맙고 우리 지금처럼 행복하게 잘 살자~^^
쓰릉흔드~~~

큰아들을 소개합니다

우리 큰아들을 소개합니다.
큰아들은 현재 24살이고 크론병입니다. 크론병과 함께 한 지도 벌써 십 년이 지났군요. 지금은 창원에서 학교에 다니며 혼자서 잘 지내고 있습니다. 아이들이 아프면 엄마는 자책할 수밖에 없잖아요. 저는 아직도 그 자책 속에서 벗어나지를 못하고 있습니다.

큰아들이 태어나고 첫아이라 그런지 엄마가 서툰 와중에도 책을 많이 읽어주면 좋다는 이야기에 책을 엄청나게 읽어주며 키웠습니다. 책을 많이 접하니 다르긴 했어요. 한글을 따로 가르치지 않아도 한글을 떼고 사교육 없이도 학교 공부는 물론 영재반에 들어가기도 했으니까요. 엄마에게 늘 흡족한 아이였지요. 엄마에게 흡족하다는 것은 어쩌면 아이에게는 힘든 시간이 될 수도 있다는 것을 그때는 몰랐습니다. 아이가 뭐든 잘한다 싶으니 모든 부분에서 다 욕심이 생기더군요. 기본 생활 태도도 좋아야 하고 게임도 하지 못하게 하고 제가 생각했던 프레임으로 아이를 가두기 시작했어요.

아이는 학교를 다녀오면 계속 잠을 잤습니다. 왜 그렇게 잠만 자는지 당시에는 몰랐지요. 지나고 보니 자신만의 스트레스 해소법이더군요. 아이는 5학년 때 치루라는 병에 걸려 한차례 수술을 하고 6학년이 되어서도 치루가 재발하여 또 한 번의 수술을 했답니다. 의사 선생님은 크론병이 의심된다며 큰 병원 갈 것을 권했지요.

크론병은 입에서 항문까지 소화기관 전체에 발생할 수 있는 만성 염증성 장 질환입니다. 소화기 내 존재하는 세균에 대한 과잉 면역 반응이 원인이라 면역억제를 해주는 스테로이드나 주사 요법으로 치료합니다. 증상은 설사, 복통, 체중감소이며, 전신 쇠약감, 식욕 부진 등이 나타납니다.

중학교 입학을 앞두고 큰아들은 크론병 진단을 받았습니다. 입학 한 달 전 2월에요. 통통하고 키도 크던 아이가 그즈음에는 성장을 멈추고 심하게 살이 빠지기 시작했어요. 키가 155cm에 48kg 나가던 아이가 33kg까지 살이 빠지고 머리카락도 한 움큼씩 빠지기 일쑤였답니다. 면역억제를 위해 시작한 스테로이드 치료는 쿠싱증후군이라는 부작용이 생겨 중단하게 되었습니다. 다른 치료인 레미케이드는 아직 아이가 어려 조심스럽다는 의사의 소견으로 저는 방법을 찾아야만 했습니다.

서울에 크론병 전문 한의원이 있다는 소식에 서울로 치료를 다녔습니다. 한의원 치료로 더 심각해지는 상황은 막을 수 있었지만, 엄격한 식단 절제와 멈춰버린 성장으로 학교 생활이 많이 힘들었지요. 언제 설사가 나올지 모르니 버스를 타는 것도 힘들고 몸에 힘이 없다 보니 체육 활동과 친구들과 어울리는 것도 어려웠습니다. 먹는 것도 아무거나 먹을 수 없어 늘 도시락을 싸 다녔습니다. 2년간의 한의원 치료로 다행히 체력이 어느 정도 회복되어 레미케이드 주사 치료를 받을 수 있었고, 지금까지도 두 달에 한 번 주사 치료를 하면서 잘 지내고 있습니다.

많은 질병이 그렇듯 크론병도 스트레스가 크게 작용했지요. 엄마의 과도한 통제와 간섭이 아이에게는 감당하기 어려웠을 거예요. 그 부분이 아직도 저를 많이 힘들게 하고 있습니다.

저는 큰아들 외에 두 명의 아들이 더 있습니다. 재혼하고 낳은 늦둥이 아들 둘이지요. 큰아들은 자신의 어려웠던 시절을 생각하며 동생들에게 좋은 형아가

되어줍니다. 제주에 올 때마다 동생들과 몸으로 놀아주고 닌텐도도 사주며 함께 놀아주지요. 그러고는 저에게
"엄마 아이들 때리지 마세요. 게임도 시켜 주세요"
이렇게 당부합니다. 저는 예전 생각에 마음이 아프지만 아들의 말을 잘 따르고 있습니다. 그래서 작은 아이들은 큰형아를 엄마보다 더 좋아합니다.

큰아들은 자신의 병을 통해 남을 배려하는 법을 배웠고, 동생들에게 따뜻한 사랑을 주는 멋진 형으로 자랐습니다. 그의 강인함과 자상함은 저에게 큰 자랑거리입니다. 그리고 그에게 항상 미안한 마음과 고마운 마음을 동시에 느낍니다.
큰아들이 크론병과 싸우면서도 긍정적인 태도를 잃지 않고 성장해가는 모습을 보며, 저는 큰 깨달음을 얻었습니다. 인생의 고난은 피할 수 없지만, 그것을 어떻게 극복하느냐에 따라 우리의 삶이 더욱 빛날 수 있다는 것을요. 아들의 고통과 성장을 지켜보며, 그동안 저의 잘못된 태도와 욕심을 반성하고, 더 나은 엄마가 되기 위해 노력하고 있습니다.

앞으로도 큰아들이 건강하게 자신의 길을 걸어가기를, 그리고 두 동생과 함께 행복한 추억을 많이 쌓기를 바랍니다. 우리 가족은 크론병이라는 어려움을 통

해 더 단단해지고, 서로에게 더 큰 사랑과 이해하는 법을 배웠습니다. 이 모든 것이 우리에게 주어진 소중한 경험이라 생각하며, 앞으로도 감사함으로 나누고 베풀며 살아가고자 합니다.

"고마워, 우리 큰아들. 너의 강인함과 사랑 덕분에 우리 가족은 더욱 빛나고 있어. 언제나 너를 응원하고 사랑해. 그리고 사랑하는 가족들 모두 함께하는 이 순간들이 앞으로도 우리에게 큰 힘이 될 거야. 나보다도 더 사랑하는 나의 아들 건강하자"

Thanks to Friend

필사 모임

오래된 모임 중 하나인 필사 모임이 있어 아이들을 후다닥 보내고 모임에 갔다. 모임은 언제나 그렇듯 의미 있고 따뜻하며 즐거웠다. 일단 모이면 간단한 근황 토크를 나누고 필사에 몰입한다. 그 시간이 참 좋다. 그러고는 각자가 필사한 책에 대한 설명과 필사한 부분 낭독으로 이어지는데 각자의 색다른 책 소개가 참 재미난다. 책을 선택한 이유와 책을 읽으면서 든 생각들 그리고 책에 얽힌 에피소드를 풀어내는데 다들 이야기꾼이다.

그림을 취미로 하는 봄님은 '빅터 프랭클의 죽음의 수용소에서'를 소개하며 삶의 의미를 생각하게 되었고, 공부를 더 하고 싶다는 목표가 생겼다며 설레어 했다. 몹시도 반가운 일이다. 핑크님은 '장수하는 뇌'를 술술 읽히는 쉬운 책이지만 생각할 거리를 던져주는 책이라며 소개한다. 그러고는 뛰어난 입담으로 책의 핵심 내용을 알려주는데 우리 모두 책 내용에 대해 의견이 분분했다. 결론은 뇌는 내가 좋아하는 일을 해야만 좋다는 게 결론.

귀용님은 다른 독서 모임에서 읽는 책이라며 유발하라리의 '호모데우스'를 소개했다. 아직은 초반이라 다 읽고 더 이야기 나누기로 했지만 임팩트 있는 한 마디. 욕망의 조절에 관한 이야기를 꺼내어서 또 우리는 각자의 욕망에 관하여 나누었다. 그리고 콩지님은 그림책 '하루 상회'를 우리에게 읽어주며 책을 읽고 나서 예전에 남편에게 집착했었던 과거를 반성하고 시간의 공유에 대한 단상들을 나누었다.

어쩜 그리도 다들 예쁜 생각들을 하는지 그리고 그 생각대로 삶을 살아내려고 애쓰는 모습들을 보면서 내 지인들이라 참 고맙고 소중했다. 나는 요즘 쓰기에 관한 책들을 읽는 중이다. 오늘 가져간 책은 양지영 작가님의 '쓰기의 쓸모'인데, 모임에서는 '아무튼 메모'에 나를 환기하는 대목이 많아서 이 책을 소개했다.

"되고 싶은 사람 / 나부터 나를 깔보지 않는 사람"
-정혜윤『아무튼 메모』

이 부분을 읽고 나를 깔보는 내가 흠칫 놀랐다. 그

동안 그 누구도 아닌 내가 너무나 오랜 시간 나를 깔보며 무시를 해왔던 걸 들켜서 많이 놀랐다. 남편이 나를 무시한다고 그렇게 오랜 세월 타박을 하고, 사니 못사니 했었는데 웬걸 그 누구보다 내가 나를 가장 많이 무시하고 깔보고 있었던 걸 들켜버린 것이다. 부끄러웠다. 미안했다. 그래서 모두의 앞에서 다시는 그러지 않으리라 다짐하며 낭독했다. 그리고 필사에 대한 부분도 너무나 좋아서 낭독했다.

"이렇게 메모하면서 노트가 가득차면 열심히 산 것 같고 안심이 되었다. 메모도 책읽기나 글쓰기처럼 자발적으로 선택한 진지한 즐거움, 놀이의 영토에 속한다. 이 세상에서 어떻게 영향을 받을까를 스스로 결정하는데 왜 즐겁지 않겠는가. 메모(필사)는 자기 생각을 가진 채 좋은 것에 계속 영향을 받으려는 삶을 향한 적극적인 노력이다"
-정혜윤『아무튼 메모』

나는 필사를 정말 좋아한다. 그래서 필사 모임도 만들게 되었다. 요즘 쓰기에 관한 책을 읽다 보면 필사를 하면 글쓰기를 잘한다고 하는데 나는 아닌 것 같아 조금 의기소침해 있었다. 이 구절을 읽고서야 나는 '그래 필사는 나의 놀이며, 나의 삶의 자세로도 충분해'라는 위안을 할 수가 있었다며 내 애기를 하자,

콩지님이 한마디 건넨다.
"이런 비유가 맞는지는 모르겠으나 음식을 잘 먹는다고 해서 모두가 요리를 잘하는 건 아니지 않을까요?" 그 말을 들으니 글을 못 써서 착잡하던 내 마음에 따스한 바람이 일었다. 말의 힘이란, 글의 힘이란. 사람의 마음을 드러내는 글의 힘으로 나는 오늘 나를 깔보지 않을 힘을 받았고, 사람을 따뜻하게 포용해주는 말의 힘으로 필사하는 즐거움을 고스란히 누릴 여유를 가졌다.

내가 필사를 함에도 글을 잘 못 쓰는 게 아니라 나는 그냥 필사를 잘하는 사람으로 보아주는 사람들. 있는 그대로 나를 인정해주는 사람들 덕분에 에너지 뿜뿜 받고 탄력받아 노동에 가까운 필사를 더욱더 열심히 하련다. 나를 웃게 하고 나를 춤추게 하는 아름다운 사람들이 있어 감사한 오늘이다.

알아넌

내가 애정하는 필사 모임 다녀왔다. 늘 그렇듯 따뜻하고 즐거운 시간이 되어 참 감사하다. 만나면 나누는 근황 토크를 들으면서도 많이 웃는다.

멤버 중 분홍님은 성당 성경 공부반에 들어가 지내는 근황을 풀어낸다. 성경 공부반에서 주로 70대 어르신들과 같이 공부하는데 그렇게 좋을 수가 없단다. 다들 분홍님을 마구마구 환영해 주시고 끝없이 이쁘다는 칭찬과 함께 무한대의 지지와 사랑을 방출해 주셔서 성경 모임에만 가면 자존감이 하늘을 뚫고 나갈 지경이라 한다. 나이가 45인 분홍님이 분홍 리본 꽃핀을 꽂고 가도 어쩜 그리 이쁘냐며 너니까 이렇게 이쁘다고 우쭈쭈 해주시는 바람에 분홍님은 우리 모임에도 핑크 공주 대학생이 되어 나타났다.

그 이야기를 들으면서 한때 내가 속해 있던 자조 모임 '알코올 중독자의 가족 치유 모임 알아넌'이 떠올랐다. 돌이켜보니 그 당시 나의 영혼은 길에 버려지고 병에 걸려 털이 엉키고 굶주린 채 오들오들 떨기만 하던 강아지 같았다.
전남편의 사업 부도로 집으로 찾아오던 빚쟁이들, 전남편의 여자 문제와 매일 술을 마시고 들어와서 하던 폭언들, 그리고 친정엄마의 갑작스러운 죽음까지. 35살의 내가 감당하기엔 하루하루가 진창이고 끝 모를 지하 감옥이었다.

그러다 어느 천사같은 지인의 안내로 수녀님에게 상담받기 시작했고, 알아넌 자조 모임도 소개받았다. 알아넌 소개를 해주신 분은 나를 상담해 주시던 마르타 수녀님이셨다. 처음 소개를 받을 때 살짝 거부감이 있었다. 세상 물정 모르던 35살 애기 엄마는 알콜중독자 가족 모임이라고 하니 뭔가 많이 피폐한 사람들만 있을 것 같아 두려웠었다. 그러나 막상 모임에 가보니 가장 피폐한 사람은 나였다. 모임에 나오신 분들은 다들 평범하신 5~60대 여성분들이었고, 오래된 모임이어서 가족이 알콜 중독자이지만 나름대로 방편들이 있어 힘든 와중에도 소중한 일상들을 살아내시는 강건한 분들이었다.

나는 모임의 가장 막내가 되어 무한 지지를 받았다. 제주에 온 지 1년도 되지 않은 젊은 애기 엄마가 그

분들 눈에는 안쓰러우셨는지 많이 챙겨주셨다. 이주일에 한 번 모임에 가면 근황을 나누는데 내가 이야기할 때 따뜻하게 바라봐주시던 그 눈빛들을 생각하니 감사함에 지금도 눈물이 차오른다. 좋은 자리에는 꼭 초대해 주시고 제주어도 많이 알려주시고 참 좋았었다. 마치 추운 겨울에 얇은 옷을 입고 길에서 한참을 떠돌다 따뜻한 가정집에 초대받아 소박한 가정식을 함께 나눠 먹고 몸과 마음을 회복하고 나온 느낌이랄까. 나의 자존감을 지하 20층에서 지상으로 끌어올려주신 참으로 고마운 분들이었다. 내가 힘든 사람들에게 마음이 더욱 가는 것은 내가 받은 이런 사랑 덕분이라 여겨진다.

가끔 이전의 나의 경험들을 풀어 놓을 때면 사람들은 놀라곤 한다.
'그런 일을 겪었을 거라고 상상이 안 돼요'
나도 그 터널을 지나올 때는 진흙탕이고 깜깜해서 도대체가 내 인생은 왜 이러냐며 많이도 울었었다. 이제는 그 다사다난했던 경험들이 나의 비옥한 토양이 되어 나를 성장시킨 거름들이었다는 것을 안다. 자조모임은 비옥한 토양에서 나를 일으켜 준 디딤돌이었다.

많은 모임을 만들고 사람들을 연결하는 일을 하는

이유가 내가 받은 사랑과 위안으로 나로 꿋꿋하게 일으켜 세울 수 있었던 것처럼 지금 쓰러져서 힘든 엄마들, 힘들어서 자신을 돌보지 못하는 엄마들 손을 잡아 주고 싶어서이다.

아직 많이 부족하고 나의 역량만으로는 어렵겠지만 계속 꿈꾸고 말하다 보면 조금씩 할 수 있으리라. 세상은 돌고 돈다. 내가 받은 사랑은 결국 나만의 것이 아니다. 그것은 내가 나누어야 할 귀중한 선물이며, 세상을 더 따뜻하게 만드는 힘이다. 지금까지 내가 겪어온 고난과 어려움은 나를 성장시킨 거름이 되었고, 내가 더 큰 사랑을 나눌 수 있는 토대가 되었다. 앞으로도 나는 그 사랑을 잊지 않고, 더 많은 사람에게 손을 내밀며 살아가고 싶다. 작은 나의 손길이 모여 큰 변화를 만들 수 있음을 믿는다. 내가 받은 사랑이 나에게서 멈추지 않고 나를 통해 더 많이 흘러나갈 수 있기를 감사한 마음 가득 담아 소망해 본다.

고해성사

오늘 11시 연동 성당 미사에 다녀왔다. 생명의 샘 20주년 기념 미사에 참석 권유를 받고 시간도 되고 궁금도 해서 다녀왔다. 생명의 샘은 착한 목자 수녀회에서 운영하는 가정 폭력 피해 여성의 쉼터이다. 흔히들 아는 1366을 통해서 긴급하게 남편과의 분리가 필요한 여성들을 보호해주는 대피소 같은 곳이다. 이곳으로 피신한 여성과 아이는 철저하게 보호받으며 외부와 차단이 된다. 신원 조회에도 나오지 않는 곳이다. 가족이 실종 신고를 해도 이곳의 존재는 드러나지 않는다. 이곳에 계셨던 예전 팀장님이 미사에 초대를 해주셔서 반가운 마음에 다녀왔다.

나는 이곳 쉼터에 한동안 머물렀었다. 이 얘기를 한 적이 별로 없어 사람들은 내가 이곳에 있었다는 사실을 잘 모른다. 오늘 쉼터에 대한 기억덕분에 여러 생각들이 들었다. 내가 여기 머물렀던 사실이 부끄러운가? 떠벌릴 일은 아니지만 그렇다고 굳이 숨길 일도 아닌 것 같다.

.

전남편과의 관계로 힘들어하던 십수 년 전 착한 목자 수녀회 소속 수녀님과 3년 정도 상담했었고, 그러던 와중에 전남편이 마련해 준 빌라가 경매로 넘어가자 오갈 데 없는 신세가 되어 상담해 주시던 수녀님의 배려로 큰아들과 함께 쉼터에 입소하게 되었다. 수녀님은 나를 지독한 피해자로 보고 계셔서 가능한 일이었다.

난 사실 남편에게 맞은 적이 있었는데 처음에는 너무 당황해서 아무 말도 못 하다가 두 번째 그러길래 바로 경찰에 신고하고 하루 격리 조치를 했었다. 그 이후 남편은 애꿎은 방문에다 화풀이하곤 했다. 난 신체 폭력보다는 언어폭력에 더 큰 피해자인 셈이다.

그곳에서 나는 상담도 지속적으로 받았고, 여러 심리 치유 프로그램도 참여하면서 조금씩 회복을 할 수 있었다. 아득한 시절이었다. 그때의 기억은 진흙 빛깔한 덩어리로 여겨진다. 이제는 그 기억을 떠올리며 울거나 힘들어하지 않는다.

성당에서 미사를 드리다 보니 고해성사하는 심정으로

오늘 내가 여기 머물렀다고 이야기하고 싶어졌다. 어쩌다 그런 마음이 들었는지는 모르겠으나 그냥 여기에다 외치고 싶었나 보다. 임금님 귀는 당나귀 귀~~

이곳으로 봉사를 가고 싶다는 마음도 생겼다. 움츠리고 있을 엄마들을 만나 내 얘기도 들려주고 그녀들의 이야기도 나누면서 글을 쓰라고 다독여 주고 싶다. 지금의 팀장님에게 말씀드렸더니 너무 좋으시다며 의논해 보자고 하신다. 내가 그녀들을 만나면 어떤 기분이 들까. 그녀들에게 어떻게 다가가야 할까. 그녀들은 복싱 링 위에서 K.O를 당하고 쓰러진 채 이곳에 실려 온 상태 같아서 아주 조심스럽다. 내가 무엇을 해야 할까. '무엇'은 할 수 있을까. 내 마음만 너무 앞서서 되려 어려움은 생기지 않을까. 내가 그곳에 있을 때를 생각해보면 너무나 조심스러워진다.

그녀들에게 손 내밀고 싶다. 그리고 안아주면서 당신은 꽃이라고 당신은 이 세상보다 소중한 존재라고 내가 받았던 위안을 나누어 주고 싶다. 나에게 기회가 주어진다면 내 온 마음을 다해서 그녀들을 꼭 안아주고 사랑해주고 싶다. 내가 받았던 사랑과 위안 모두를 갑절로 돌려주고 싶다. 내가 받은 사랑에 감사하며 나는 세상을 향해 내 품을 열어둔다.

사진이 아니라 사람에 진심이네요

지난 해에 도외로 연수를 다녀왔다. 삼다수 해피플러스 사업의 프로그램으로 사회복지를 담당하시는 선생님들과 도외 우수 복지 기업들을 탐방하는 좋은 기회였다. 나는 사회복지사는 아니지만 함께 하면서 좋은 배움들을 가질 수 있는 기회였다.

1박2일 함께 하는 동안 여러 선생님과 이야기도 많이 하게 되고 서로 사진도 찍어주며 마음을 나누는 시간이었다. 그중에 모기관에서 함께 오신 두 분의 선생님과 같이 다니면서 예쁜 장소에서 사진을 찍게 되었다. 두 분 선생님은 사진에 찍히는 걸 굉장히 어색해하셨지만 내가 포즈를 요구하거나 좀 더 다양한 각도에서 사진을 찍으려 할 때 잘 응해주셨다.

사진을 꽤 많이 찍었다. 활짝 웃으면 정말 사진이 이쁘게 나오는데 자꾸만 수줍어하셔서 활짝 웃는 장면을 찍기 위해 나름의 최선을 다했더랬다. 그리고는 인생샷까지는 아니더라도 꽤 괜찮은 사진들이 나와서 약간의 수정 후 선생님들께 전달해드렸더니 사진을 받으신 한 분이 나에게 최고의 칭찬을 해주셨다.
"사진에 진심인 줄 알았는데 사람에 진심이시네요~" 그 말을 듣는 순간 울컥. 나도 몰랐던 사실인데 그분이 그 말씀을 하시자 나는 사람에 진심인 사람이었다. 나도 내가 왜 매일 그렇게 사진을 찍는지 잘 몰랐었기에 그분이 나에게 정체성을 부여하는 순간, 아니 나도 몰랐던 나의 정체성을 알아봐 주는 순간 나는 사람에게 진심인 사람으로 피어났다. 정말 감사했다. 내가 찍히는 순간도 좋지만, 함께 모인 우리가 즐겁고 행복하게 꽃 피우는 그 순간을 기억하고 싶었고, 모두를 내 마음속에 꼭꼭 담아두고 싶었던 마음으로 사진을 찍었더랬다.

그렇게 몇 년 동안 사진을 찍고 사람을 담다 보니 나는 이제 사진을 보면 이 사람이 사진에 진심인지 사람에 진심인지 아니면 찍고 있는 사진 속 사람에 대한 애정인지 어느 정도 보는 눈이 생겼다. 단정지을 수 없지만 나만의 기준은 생긴 것이다. 그래서 누군가가 나를 찍은 사진을 보면 이 사람이 나에 대한 애정이 어느 정도인지 느껴지기도 한다. 좀 부담스러운 말이 될 수도 있지만 그게 보인다.

어제 조합에서 진행된 죽음학 강의를 마치고 나에 대한 애정이 듬뿍 담긴 사진 두 장을 받았다. 나를 찍은 분의 애정을 충분히 가늠하고도 남음이었다. 기억에 오래 남을, 마음속에 오래 담아 두고 싶은 사진을 받아 행복하고 감사하였다.

마음은 사진으로도 전해진다. 나는 사람에 진심인 내가 좋고, 나를 아끼는 마음으로 봐주는 사람들이 참 좋고 감사한 요즘이다. 우리의 삶은 이러한 작은 순간들 속에서 서로를 이해하고, 사랑을 나누며, 더 큰 의미를 찾아간다. 앞으로도 나는 사람들에게 진심을 담아 다가가고 싶다. 사진을 찍을 때뿐만 아니라, 매 순간 그들의 삶에 진심으로 다가가며 그들의 이야기를 들어주고, 그들의 마음을 헤아리며, 함께하는 시간을 소중히 여기고 싶다. 이 마음이 전해져서 더 많은 사람이 서로에게 마음을 다할 수 있는 세상이 된다면 더할 나위 없이 감사하겠다.

죽음 카페

사람들이 죽음에 대해서 어떻게 생각하는지 이야기를 나누기 위한 자리 '죽음 카페'가 누운산 책방에서 열렸다. 문자를 받고 바로 신청했는데 많은 분이 신청해서 빨리 마감이 되었다고 한다. 누운산 주인장이신 담은 이현숙 선생님과 몇 분의 지인께서 준비하셨고, 죽음 카페가 열리는 날에는 비가 왔음에도 많은 분이 오셨다.

죽음 카페, 일명 데스카페는 영국에서 죽음을 자연스레 이야기하는 모임으로 알려져 있다. 사실 누구나 테이블에 앉아 죽음에 관하여 이야기를 나누면 죽음 카페가 되는 것이다.

내가 앉은 테이블에는 70대 어르신과 나포함 50대 두 명, 40대가 한 명 있었다. 각자의 소개와 함께 자연스레 죽음에 관련된 자신의 경험을 나누었다. 나는 십오 년 전쯤에 엄마와 아빠 그리고 전남편까지 이삼

년 간격으로 보내게 되면서 나름 죽음에 관해서는 할 말이 많았다. 사랑하는 사람의 죽음을 지켜보며 겪어야 하는 상실감은 겪어보지 않으면 공감하기도, 말을 하기도 어렵긴 하다.

70대의 살림님과 50대의 벚꽃님은 남편의 죽음으로 힘들어하셨고, 40대 나무님은 자신이 태어날 때 엄마가 돌아가셔서 태어남과 동시에 죽음을 곁에 두고 살아 온 경험을 나누어주셨다. 주제를 정하지는 않았지만, 자연스레 자신의 장례식과 사랑하는 사람을 보내고 남은 자의 힘겨움에 대해 이야기를 나누었다. 나는 사랑하는 부모님도 보냈고 사랑하지는 않았지만, 남편도 보내봤고 사랑하는 친구도 보내봤다.

자신의 태어남과 동시에 엄마가 죽으면서 평생을 엄마의 죽음을 자신 때문이라는 올가미 속에 살아낸 나무님의 경우는 더욱 특별했다. 나무님 어릴 적 동주라는 동네 꼬맹이가

"누나! 누나는 엄마 못 만나 봤지? 엄마 못 만져 봤지?"

라는 놀림에는 속수무책 무너질 수밖에 없었다는 이야기와 47년 만에 엄마의 묘 이장을 하면서 마지막으로 만난 엄마의 유골을 만지며

"동주 이 새끼야, 나 우리 엄마 만져봤다"

며 울부짖었다는 이야기. 그리고 이상하게도 '때문에'라는 단어에 민감한 이유가 자신 때문에 엄마가 죽었다는 그 죄책감에 연유했다는 걸 알게 되며 그걸 남편과 함께 극복해 낸 이야기들은 그야말로 살아낸 자의 처절한 몸부림이었다.

우리 테이블은 많이 울었다. 잘 살려고 만난 테이블 위에 죽음을 꺼내놓고 살아남은 자의 힘겨움을 지켜보자니 눈물이 그칠 새가 없었다. 죽음 카페를 마치고 집에 돌아와서는 많은 에너지가 소모되었는지 그냥 뻗어버렸다.

2회 3회 계속될 죽음 카페에서 나는 무엇을 추구하고 싶은가. 어쩌면 죽음과 나란한 삶을 잘 살아내는 방편으로 죽음을 옆에 두고 일상을 살아가고 싶은 건지도 모르겠다.

내 삶을 잘 산다는 것은 무엇인가. 나무님 딸의 일화에서 삶과 죽음 사이 우리가 지녀야 할 마음가짐을 배운다.
중3 딸이 어느 날 남자 친구를 사귀더니 너무 열심히 연애하는 게 신기해서 나무님이 물었다.
"그 남친이 그렇게 좋냐? 뭔 연애에 그렇게 최선을 다하니?"

딸의 대답이 명품이다.
"엄마, 최선을 다해서 좋아해야 헤어질 때 미련이 안 남아"
캬. 이거야말로 도인의 대답이 아닌가. 이어진 나무님의 결론은
"삶의 한순간 순간 진심으로 살면 삶을 떠날 때 미련이 남지 않을 것 같아요"
동감한다. 나는 아침에 일어나면 아이를 안고 입을 맞추고, 남편 등을 토닥여 줄 것이며, 내 일상을 기록하고 감사함으로 하루를 시작한다. 그리고 똑같은 루틴으로 하루를 마무리한다. 나는 그렇게 삶을 사랑하고 감사하며 지금 이 순간을 진심으로 살아가고 있다. 나는 잘살고 있다. 어느 날 내가 문득 다른 삶으로 가더라도 감사함으로 떠날 수 있을 것 같다.

볕을 쬐듯

얼마 전 내가 좋아하는 박정경 대표가 서귀포에 발달 장애 엄마들이 사회적 협동조합을 만들려고 하는데 가이드를 해줄 수 있겠냐는 제안을 해왔다. 나는 나의 역량은 따져보지도 않고 수락했다. 나의 경험이 누군가에게 도움이 된다는 데 그것만큼 보람찬 일이 어디 있겠는가. 정경 대표에게 일을 의뢰한 주리씨는 아주 아끼는 후배이며 정말 괜찮은 사람이라는 말과 함께 내가 그 일에 적합하니 잘 부탁한단다. 게다가 돈도 준다고 한다. 그냥도 해줄 판에 돈을 준다니 더 신이 난다.

주리씨와 첫 통화를 하고 나니 정경 대표가 왜 아끼는 후배인지 느낌이 왔다. 참 좋은 사람이다. 나는 다양한 엄마들을 만나봤지만, 나의 빈약한 통계로는 발달 장애 아이들의 부모들이 제일 힘들어 보인다. 끝이 없다. 나이가 60이 넘어도 아이의 목욕을 시켜 주어야 하며 사회에 나가서 실수라도 하면 끊임없이 '

죄송합니다'를 연발해야 하고, 아이보다 하루만 더 사는 게 꿈인 엄마들. 그들을 위해서라면 기꺼이 무엇이든 함께 해주고 싶다. 그런 엄마들이 사회적 협동조합을 만든다고 하니 잘 성장할 수 있게 도울 수밖에.

사회적 협동조합은 일반 협동조합과 달리 허가제이다. 일반 협동조합은 5명이 모여서 '우리 협동조합 할 거예요~'하고 신고하면 끝이다. 그러나 사회적 협동조합은 각종 행정 서류를 작성하고 심사받고 허가를 받는 데까지 최소 3개월에서 6개월이 걸리는 까다로운 과정이다. 단순 행정 서류가 아닌 사회적 협동조합이 추구하는 가치, 미션, 비전, 사업 모델 등을 서류에 담아내야만 한다. 그리고 그 전에 조합원들과의 마음 맞추기도 필수 과정이다.

협동조합이 만들기는 쉽지만 만든 후에 운영이 되지 않아 휴업 상태인 조합도 제주 내에서도 80%라고 한다. 뜻을 하나로 모으는 과정도 어렵지만 모은 뜻을 어떻게 구현해 낼 것인지에 대한 다양한 논의가 충분하지 않을 경우 싸움이 나거나 그만두는 일이 비일비재하다. 그래서 협동조합 특히 사회적 협동조합을 4년이나 운영했다는 것은 자화자찬 같지만 나름의 내공이 쌓였다고 봐도 무방하다. 나는 우리 조합이 돈을 못 벌었다는 생각에 위축이 되었지만 돌이켜보면 나 빼고는 활동에 따른 정당한 대가들을 다 가져갔으니 나쁜 성적표는 아니라고 생각한다. 그리고 나 또한 경제적인 보상 외에 많은 것들을 취할 수 있었기에 4년이라는 시간이 특별함으로 자리 잡고 있다.

컨설팅 제안 수락을 하고 보니 그제야 가이드를 잘 할 수 있을까 하는 고민이 되었다. 그러다 요즘 필사하는 책 은유 작가의 『쓰기의 말들』에서 해법을 찾았다. 반려동물을 싫어하던 작가가 반려동물과 살아가는 모습을 묘사한 진솔한 글을 읽고 이제는 고양이를 키우고 있다는 글이다.

“글쓰기 수업을 하면서 반려동물의 세계를 꾸준히 접했다. 열 명 중 한두 명은 강아지 혹은 고양이를 소재로 글을 썼다. 그 글들은 당신도 반려동물을 키워야 한다고 주장하지 않았고, 동물을 사랑하는 법을 가르치려 들지도 않았다. 반려동물과 살아가는 모습을 꾸밈없이 보여 주었는데 그렇게 사오 년 볕을 쬐듯 글을 읽으며 나는 변했다. 털 뭉치 고양이와 산다.”
-은유 『쓰기의 말들』

서귀포의 주리씨는 사회적 협동조합을 어떻게 하는

지 알고 싶어 한다. 왜 하는지에 대한 가치는 그들이 가지고 있으므로 내가 어떻게 하는지를 나의 경험으로 진솔하게 들려주면 삼박자가 맞는 것이다. 나의 어설픈 조언과 충고가 아닌 내가 실수했던 것들, 아쉬웠던 부분들, 하면서 재미있었던 일들을 하나하나 풀어 주고 싶다. 내가 명심할 것은 가르치려 들지 말고 주장하지 말 것. 스며들듯이, 물들듯이 그렇게 가이드를 해주고 싶다. 그들에게 볕을 쬐어주면 그들도 털 뭉치 고양이를 키우게 되지 않을까. 내게 입혀진 색을 함께 공유하며 그들만의 방향으로 나아갈 수 있도록 묵묵히 응원하고 함께 하고 싶다.

나를 믿어준 박정경 대표에게 감사하며 믿음에 보답할 수 있도록 내 빛을 발해야 할 터이다.

Thanks to Writing

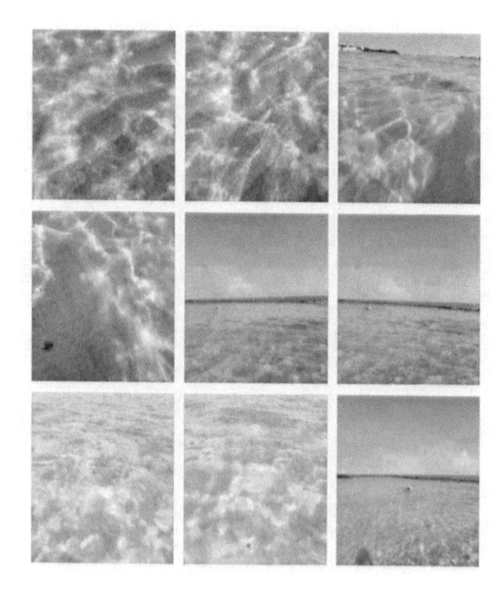

첫 왕따의 기억

초등 4학년이었다. 나는 머리를 허리까지 기르고 다녔다. 풀고 다닌 적은 별로 없고 주로 엄마가 길게 땋아주셨다. 그렇게 길게 땋은 머리는 나의 트레이드마크 같았다.

4학년 내 옆자리는 우리 반 반장이었다. 이름도 잊어버리지 않는다. 황건우. 그 시절 반장은 공부도 중요하지만 주로 잘 사는 집 아이들의 몫이었다. 나는 초등 3학년 때 기울어진 가세로 반장 부반장은 꿈에도 못 꾸었고 그나마 키가 큰 편이라 환경부장을 하고 있었다.

황건우는 반장이라 집도 이층 양옥집에서 살고 그 시절 잘 사는 집 애들이 그랬듯 뚱뚱했다. 공부 시간이나 자리에 앉아 있을 때는 얌전한 아이였는데 쉬는 시간만 되면 내 머리를 잡아당기고는 저 멀리 도망을 갔다. 운동장에서 마주치면 여지없이 어디선가 달려

와서 내 머리를 당기고 내달려 저 멀리서 나를 보고 있는 거다. 지금 생각해보면 나를 좋아한 거라는 생각이 들어 웃음만 나지만 그 당시에는 진짜 짜증이 났었다. 그렇게 쉬는 시간이 끝나면 헤헤 웃으며 자리로 슬금슬금 와서는 내 눈치를 보고 얌전한 강아지 마냥 순하게 있었다. 물론 내 기억의 오류일 수도 있으나 그런 반장에게 나는 또 그렇게 화를 내지는 않았던 거 같다.

그러던 어느 날 반장이 생일파티 초대장을 내밀었다. 남자애들 5명과 여자애들 3명만 온다는 얘기와 함께. 나는 망설이다 알겠다고 했지만, 당시 생일 선물을 사줄 돈이 없어 고민이 되었다. 그래서 문방구에서 노트 3권만이라도 사서 가자는 생각했다. 생일 당일 환경 검사가 있다고 하여 선생님과 뒷벽 꾸미기를 하고 조금 늦게 생일파티에 사 갈 노트를 사려고 학교 앞 문방구에 갔는데 거기서 우리 반 부반장 여자애 두 명이 나를 기다리고 있었다.
이름도 공교롭게 같은 구민지, 최민지. 구민지, 최민지도 이층 양옥집에 사는 부잣집 딸들이었다. 최민지는 나랑 가끔 놀기도 하는 편이었는데 구민지와 나는 말도 잘 하지 않는 사이였다. 구민지가 나를 보고
"반장 생일에 갈 거야?"
"응 갈 거야"

"우리도 갈려고 했는데 다 같이 가지 말자"
"왜?"
"황건우의 엄마가 여자애들이 오는 걸 안 좋아한대"
"그래?"
라고 말하자 옆에 있던 최민지가 무언가를 말하려고 하는데 구민지가 최민지 팔짱을 끼고 홱 돌아서서 가버리는 거다. 그때 나를 돌아보던 서글픈 눈동자의 최민지 얼굴이 지금도 또렷하다. 나는 알았다. 구미호 같은 구민지가 내가 싫어서 나를 일부러 왕따시킨다는 걸.

난 '뭐 돈도 아끼고 좋네'라고 생각하며 터덜터덜 발길을 돌렸지만, 왕따당하는 기분으로 집에 돌아가는 길이 참 서글프긴 했다. 다음 날 황건우에게는 환경미화가 늦어서 못 갔다고 말했지만 황건우는 상처를 받은 건지 그 다음부터 나에게 장난을 치지 않았다. 그리고 얼마 지나지 않아 짝지도 바뀌어버렸다.

비하인드 스토리지만 그다음 날 매점에서 황건우의 친구가 나를 보고 어제 왜 안 왔냐고 묻길래 그냥이라고 대답하고 최민지랑 구민지 왔었냐고 묻자 왔다는 대답을 들었다. 내가 황건우라는 아이에게 별 마음이 없었으니 망정이지 안 그랬음 엄청 힘들었을지도 모를 기억이다. 그런데 돌이켜 보니 그렇지만도 않은 게 40년이 지난 지금도 그 날의 기온, 분위기, 최민지의 얼굴, 구민지의 그 앙칼진 표정과 말투등이 생생하게 떠오르는 걸 보면 나에게는 꽤나 큰 상처였나보다. 생일 잔치에 못 간 게 아니라 내가 특정 자리에 거부당했다는 느낌. 처음으로 왕따를 당한 그 기분.

글을 쓰고 보니 정리가 되는 게 하나가 있다.
내가 그 날 당했던 왕따는 나의 가난이 아니라 구민지의 질투 때문이 아닐까. 어쩌면 구민지가 황건우를 좋아했을지도 모를 일 아닌가. 난 모른채로 삼각관계였던거야? 황건우가 좋아하는 내가 꼴보기 싫었을테고, 내가 생일 파티에 오는 게 더 싫었을 법하다. 웃음이 난다. 그게 사실이 아니라도 뭐 어떤가. 내가 자유로우면 됐지.

사실 나도 잊고 있었던 이야기인데, 100일 쓰기의 글동무 지앵님의 블로그를 보면서 (지앵님을 모를때) 문화 생활 누리며 이층 양옥집에 사는 여자들에 대한 편견이 나에게 있음을 발견하게 되었고, 그 근원을 찾아가다 보니 어릴 적 왕따의 기억까지 소환하게 되었다. 사실 왕따의 기억과 나의 선입견은 직접적인 상관 관계가 없을지도 모른다. 그러나 글을 쓰고 나니 불필요한 피해 의식이 정리가 되어 좋다. 나의 첫 왕따는 가난이 아닌 나의 미모 때문이라고^^.
지금 어디에선가 나의 말에 상처를 받고 나를 오해하고 있는 사람이 있다면 내 의도와 상관없이 그 만의 방식으로 건강하게 잘 살았으면 좋겠다. 나 역시 구민지와 상관없이 밝고 유쾌하게 잘 살고 있듯이. 어딘가에 계실 그분들에게 축복을 보내오니 부디 그 분들만의 방식으로 나에 대한 생각과 그분의 감정이 정리가 되길 바래본다.

또한 글쓰기를 하면서 하나씩 소환되는 나의 옛이야기도 좋고, 그 안에 머물러 있는 시간들도 감사한 요즘이다. 글쓰기로 나는 삶에 대한 감사가 풍요로워져 매일의 일상이 소중하고 감사할 따름이다.

기획 노동

나는 주부다.
전업 주부였던적도 있고, 소위 워킹맘일때도 있고 그렇다. 나는 평생을 어떤 조직에 들어가서 정규직으로 일해본 적이 없어서 제라진 워킹맘의 고충은 오롯이 다 겪었다고 할 수는 없다.

그러나 82년생 김지영 영화를 보다가 눈물이 느닷없이 터졌던 장면이 있었다. 한 워킹맘이 아이가 열이 나자 맡길 데가 없어 회사에 데려왔던 장면이다. 그리고는 태연한 척 일을 하는 그 장면에서 나는 무방비로 터져 버렸다. 너무나 속이 상함에도 애써 침착을 유지하며 불덩어리 아이에게 장남감을 쥐어주고 책상옆에 앉혀두던 엄마. 겪어보지 못한 일임에도 내 가슴에 고슴도치가 들어온 것 마냥 아팠다.

얼마 전 다큐멘터리를 봤다. 여성의 가사 노동에 대한 이야기인데, 요즘 MZ 부부들은 가사분담을 잘한다는 이야기를 쭉 한다. 인터뷰에서 한 돌쟁이 아기 부모는 오히려 남편이 가사 노동을 더 많이 하고 부인은 가사 노동을 남편에 비해 덜한다는 이야기를 한다. 다음 이야기가 중요했다. 그럼에도 왜 여자들은 가사노동에 대한 부담이 더 클까라는 의문에 대해 여성 가족 연구원이 추적 연구한 결과 가정을 책임지는 모든 '기획'에 대한 부분을 모두가 간과했다는 사실을 밝혀낸 것이다. 그동안 기획 노동비를 계산하지 않은 것이다.

일반 회사의 가장 중추적인 역할을 하는 곳이 어디인가. 기획실이다. 우리 나라도 국토부 해양부 다 엎어지는 곳이 기획재정부 아닌가. 집안의 기획실은 어디인가. 대부분의 경우가 엄마이다. 아이 어린이집은 어디로 보낼 것이며, 세제는 어떤 것을 쓰는지, 식단은 어떻게 꾸릴 것인지. 하나부터 열까지 엄마의 머릿속을 거치지 않은 것이 없다. 그러나 여지껏 가정 전반 기획에 대한 노동력은 계산되지 않은 것이다.

나는 다큐멘터리를 보다 또 눈물이 툭하고 터졌다. 세상이, 사회가, 여성가족연구원이 나의 수고로움을, 억울했지만 나조차 몰랐던 나의 노동 가치를 인정해주고 계산해준 것이다. 다큐멘터리에서는 안나왔지만 그 계산법대로라면 우리 엄마들의 한달 노동비는 기획 인건비(제주문화예술교육지원사업 기획자 인건비 예산편성기준)를 포함 한다면 적어도 1.5배는 더 계산이 되어야 한다. 평균 300이 엄마들의 노동의 댓가라면 450은 받아야 한다.

사람은 배우고 사유해야 한다.
내 노동이 이게 다가 아닌데 무엇이 자꾸만 우리를 억울하고 초라하게 만드는 건지 이상하기만 했는데 원인을 알고 보니 이렇게 명확할 수가 없다. 그렇다고 내가 달라지는 것은 없겠지만 적어도 집에서 노는 여자들이라는 편견에 대해서는 정확하게 정정을 해줄 수 있는 근거를 확인했다는 게 기쁘고 감사하기만 하다. 이렇게 나의 가사 노동과 기획 역할이 새롭게 조명된 것을 보며, 그동안의 수고와 헌신이 무시되지 않고 제대로 평가받고 있다는 사실에 큰 위로를 얻었다. 비록 여전히 많은 변화가 필요하고, 사회적 편견과 오해는 남아 있지만, 그 변화의 첫걸음은 바로 우리 자신이 그 가치를 깨닫고 인정하는 것에서 시작된다고 믿는다.

세상은 느리지만 변화하고 있음이 너무나 감사하다.
이 시대 엄마들 그리고 우리 여성들 모두 파이팅!!!

마법의 단어 3가지

세상을 행복하게 살 수 있는 세가지 마법의 단어가 있다고 한다.
"Thanks, Sorry, Please"
일을 하다보면 오해도 생기고 감사한 일도 생기고 다양한 감정들이 생겨나게 마련이다. 그럴 때 나는 이 세 가지 마법의 단어를 잘 활용하여 일을 한다. 그러면 감정으로 얽히거나 일이 힘든 경우에도 정말로 심각한 일이 아니고서야 다 좋게 넘어간다. 그리고 관계도 오래 잘 유지할 수 있다.

마법의 세 단어는 일을 할 때만이 아니라 모든 관계에서 유용하게 쓰인다. 특히나 가족에게도 마찬가지다. 나는 이 세 단어로 아이들과 남편을 움직이는 데 효과가 아주 좋다.
"지훈아 빨래 개줘서 너무 고마워"
"성원아 엄마가 깜박했네. 진짜 미안. 앞으로는 깜박

하지 않도록 메모해 둘게“
"자기야 다리 좀 주물러 줄 수 있어?"
 건성으로 이렇게 말해도 웬만한 일들은 잘 해결이 된다. 하지만 조금 더 진지하게 접근을 하자면 고맙다는 표현은 구체적인 상대의 행동을 언급하면서 표현하면 더욱 좋다. 지훈이에게도 빨래를 개어 준 행동을 언급했듯이 상대의 구체적인 행동에 대한 고마움을 표현해야 진심이 느껴져서 좋다.

 미안함도 마찬가지. 나의 어떤 행동이 미안한지 명확하게 밝혀주고 그 행동이 잘못되었음을 인정해야 사과를 듣는 상대의 마음이 누그러지게 된다. 그리고 재발 방지에 대한 다짐이 덧붙여지면 더욱 좋다.
예를 들어
“성원아 미안 화풀어”
보다는
“성원아 엄마가 깜박했네. 진짜 미안. 앞으로는 깜박하지 않도록 메모해둘게”
이렇게 사과를 하는데 감정이 풀어지지 않는다면 시간을 조금 두고 다시 사과를 한다면 좋겠다.

 Please의 경우 우리 말로 ‘제발’이라고 해석을 해서 애원하는 느낌이지만, 살짝의 부탁하는 느낌이 드는 뉘앙스 정도면 충분하다. 상대의 형편을 헤아리는 마음이 담겨있으면 최고다.
“지금 시간이 된다면 이걸 좀 해줄 수 있을까? 아니면 시간 될 때 해줘도 좋아”
우리 남편은 나에게 항상
“안 바쁠 때 이거 좀 해줘”
라고 한다. 그러면 내 마음이 편하다. 물론 까먹어서 남편이
“많이 바빠?”
라고 재차 묻게도 만들지만.

하나 더 나의 팁이 있다면 아이들에게 칭찬을 할 때 결과물보다는 과정을 칭찬해주는 것이 좋다. 나도 책에서 배운거지만 써먹어 보니 정말 유용하다. 남편은 아이들에게
“잘했어”
한마디로 끝내지만 나는
“어우야~ 지훈이가 이걸 그렸어? 와~이렇게 세세하게 표현하다니 정말 멋있다!”
두 칭찬을 들은 지훈이는 나에게 호감을 더 느꼈을 법 하지 않은가?

세상 사는 거 참 쉽다. 표현하자.
고맙다고, 미안하다고. 그리고 정중하게 부탁하자.
그러면 세상은 우리에게 더 많은 감사와 행운을 선물

할 것이다.

글쓰기 후 나는

책에는 글을 쓰면 사람이 달라진다고 한다. 그 변화가 좋아서 글을 쓰지 않고는 안 된다고 한다. 나도 그렇게 될까? 나도 그렇게 되면 좋겠다. 그렇게 될 거 같다. 나는 글을 계속 쓰고 싶어 할 거 같다. 글을 계속 쓰게 될 거 같다.

지난해에 논문을 쓰면서 나는 '쓰기'의 영역에 발을 디뎠다. 논문을 쓰는 건 쓰기의 영역은 맞지만 쓰기의 매력은 못 느끼고 있었다.
그러다 블로그 수업을 듣게 되었고, 백일쓰기, 글수다, 초고쓰기까지 쭉쭉 오게 되었다.

블로그 쓰기는 쓰는 것에 초점이 아니라 기록에 의미를 두었고, 백일쓰기는 매일 써본다에 중점을 두었다. 글수다는 나를 쓰기의 영역에 담그는 과정이었다. 하지만 완전히 나를 글쓰기에 담그지는 못했다. 예열이 필요했으므로. 글을 써내는 것이 마음처럼 쭉쭉

써지는 게 아니라서 내 모든걸 쏟아내는 글쓰기가 되지는 못했다. 나의 마음속 깊은 곳의 말들은 여전히 쉽게 드러나지 않았던 것 같다.

대중 목욕탕에 가서 온수탕에 들어갈 때 처음에 손으로 온도 체크하는 것이 블로그 글쓰기 였다면 물한 바가지 퍼서 내 몸에 퍼붓는 단계가 백일쓰기였다.
자 이제 한발 한발씩 탕으로 넣어보자. 음~ 조금 뜨거운 거 같은데? 일단 무릎까지만 담그고 앉아보자.
그렇게 하는 것이 족욕, 글수다 수업이다.

나는 지금 초고쓰기로 반신욕중이다. 최고의 목욕법 반신욕. 땀이 얼마나 나는지. 반신욕을 제대로만 하면 온 몸에 노폐물이 쫙쫙 빠져 나온다. 나는 지금 반신욕 글쓰기로 온 몸에 독소를 빼는 중이다. 글수다 수업에서 충분히 예열시킨 글쓰기 덕분에 가능한 일이다. 나는 글쓰기로 정리되지 않은 나의 묵은 감정들을 꺼내어서 잘 들여다 보고 떨쳐버리고자 한다,

100일 쓰기가 끝이 나면서 100일 글쓰기 파티를 했다. 대구에서 글쓰기를 참가했던 옌님이 2박3일 일정으로 내려오면서 그야말로 100일 글쓰기 모임 100-2 THE FUTURE의 성대한 축제를 열었다. 금요일 저녁 전야제부터 토요일 본행사 일요일까지. 그 중 나는

금토 일정에 참여하면서 100일간의 나의 변화에 대한 성찰을 할 수 있었다.

우선 가장 좋은 변화 중 하나는 나를 있는 그대로 받아 들이고 나의 모습을 인정하고 사랑하게 된 것이다. 나는 뚱뚱한 게 아니고 이전에 비해 몸무게가 조금 더 나가는 것이며, 나는 밝고 긍정적이며 활기찬 사람이다. 내가 엔프피인 것도 이제는 사랑스러울 지경이다. 내 키가 165라 적당해서 좋고(이전에는 늘 작다고 불만이었다) 내 다리가 튼튼해서 좋다. 이런 나를 고스란히 받아들이고 인정하게 된 내가 보인다.

또 하나는 섬세해진 감각이다. 100일 글쓰기 방에 지앵님 블로그에서 느껴지는 느낌을 언급하면서 까칠하다는 인상을 받았다고 글을 썼다. 만나보지도 않고 단지 글에서만. 그러나 지앵님의 내 글에 대한 반응을 보면서 조금 더 깊이 들여다보니 나의 못난 선입견 내지는 편견이 작동을 한 탓이라는 걸 알아차리게 되었다. 지앵님의 글에서 까칠함을 느낀게 아니라 '해안동 타운하우스 사는 여자들은 그럴 거야' 라는 나의 몹쓸 선입견이 작동을 한 것이다. 지앵님을 만나고 보니 참 좋은 분이라 해안동 타운하우스 사시는 김재용작가님 글수다 수업에도 아무런 편견없이 수업에 임할 수 있었는데 말이다. 지앵님을 직접 만나보고 나서야, 내가 가진 편견이 무의미했음을 알게 되었다. 이러한 반성과 성찰은 나를 더욱 깊이 있고 섬세한 사유로 이끌어주었다.

100-2 THE FUTURE 토요일 본 행사를 마치고 잠시 집에 왔다가 저녁 7시쯤 글쓰기팀 친구들에게 합류하기 위해 붉은 오름 휴양림으로 향했다. 가는 길에 안개가 자욱하니 이럴 땐 앞 차를 따라 가는 게 편하다. 안개 낀 저녁 시간 운치가 끝내줬지만, 앞차를 따라가느라 옆도 뒤도 못 보고 앞만 보고 계속 따라간다. 그러다 갈림길에서 앞차는 성판악으로 가고 난 교래쪽으로 내려가야 했다. 앞 차 없이 한치 앞도 안보이는 어둑한 길을 가자니 살짝 걱정이 앞섰다.
그러나 막상 가다 보니 아무도 없는 그 숲길에 나 홀로 가고 있는 그 순간이 너무나 환상적이었다. 양 옆으로는 빽빽한 나무들과 자욱한 안개 그리고 하늘은 완전히 어둡지도 그렇다고 밝지도 않은 푸르스름한 빛을 띠는 개와 늑대의 시간. 게다가 라디오 '세상의 모든 음악'에서 흘러 나오는 근사한 음악까지. 순간을 오롯이 만끽하는 기쁨을 누렸다.

그 순간은 마치 내가 글쓰기의 새로운 길을 가는 과정과도 같다. 앞에서 길을 안내해 주던 지앵님이 사라지고, 이제는 나만의 길을 가야 하는 시간. 걱정이 앞서기도 하지만, 내가 선택한 길을 따라가다 보면 환상적인 순간들을 만날 수 있음을 알았다.

나에게는 김재용 작가님과 고영희 작가님이 이 길을 안내해 주는 든든한 동반자이기에, 이 여정의 시작이 꽤나 멋지다고 느낀다. 글쓰기를 통해 내가 얼마나 많은 변화를 경험했는지, 그리고 앞으로도 얼마나 많은 여정을 함께할 수 있을지, 그에 대한 감사와 기쁨으로 마음이 가득 차 있다.

글쓰기 영역으로 진입하도록 이끌어 준 모든 존재에 감사한다.

만약 내가 내일 죽는다면

만약 내가 내일 죽는다면 하루가 주어져서 감사하다. 글을 쓸 수가 있어서 다행이다. 하루라는 시간동안 나는 바삐 글을 쓰겠다. 내가 여기 다녀갔노라고. 나의 기록을, 내가 하고 싶은 이야기를 글로 남겨 두고 싶다.

몇 달 전에 본 '원더풀라이프'라는 영화가 생각난다. 사람이 죽기 전 자기 인생에서 가장 기억하고 싶은 한 장면을 저승사자나 천사같은 사람들이 온갖 도구 장치들을 동원해서 그 사람에게 기억하고 싶은 한 장면을 재현시켜 준다. 그러면 그 사람은 그 행복한 기억을 간직한 채 행복하게 죽음을 맞이한다. 사람들의 내면 깊숙이 자리한 '흔적을 남기고 싶다'는 욕구를 강하게 느끼게 해 주는 영화다. 그들 또한 나와 같은 마음으로, 내가 여기 있었노라고, 잠시 다녀간다는 이야기를 하고 싶어하는 듯 했다.

나라면 죽음 앞에서 내 인생의 어느 지점을 재연해 보고 싶을까 떠올려보니 그냥 내 아이들 그리고 남편과 저녁식사를 하는 장면이다. 지극히 평범한 일상. 별 다르지 않을 일상이 가장 소중하게 다가온다. 지금 나는 생애 가장 행복한 순간을 매일 매일 마주하고 있다.

그럼에도 내가 사라지게 된다는 것은 아쉬움으로 남는다. 어린 아이들의 사춘기도 못볼테고 큰아들의 사랑하는 여자도 모를테고, 남편의 늙어버린 할아버지 모습도 못볼테니 아쉽고, 그 순간 순간에 함께 해줄 수 없음이 미안할 터였다.

글쓰기를 몰랐다면 별반 다를 것 없는 평온한 일상을 보냈겠지만, 글쓰기를 하는 지금은 남은 하루를 바삐 보내겠다. 남겨질 아이들에게 할 이야기들을 쓰겠다. 초등 졸업식에 해줄 말, 입학식에 해줄 말, 시험, 상심했을 때, 어려움에 처하거나 큰 도전을 앞두고 있을 때, 길이 안 보여 막막할 때, 장가갈 때, 아플 때 모든 순간 엄마가 함께 있는 것처럼 이야기를 남겨주고 싶다. 아이들이 이 힘든 여정을 견뎌내고 극복할 수 있는 강인한 마음을 가질 수 있도록 사랑을 듬뿍 담아 쓰고 싶다.

장진영, 박해일 주연의 영화 '국화꽃 향기'에 이런 대사가 나온다.
"인하씨 덕분에 내가 얼마나 행복했는지 내 영혼에 차곡 차곡 새겨서 갈게"
시한부 인생을 살다 간 여주인공 장진영이 하는 말이다. 나도 내가 아이들과 남편을 얼마나 사랑했는지, 아이들과 남편 덕분에 얼마나 행복했었는지 차곡차곡 영혼에 새기듯 한자 한자 아로 새겨서 남기고 행복하게 떠나고 싶다.

또한, 내가 남긴 글들이 아이들에게 시간이 흘러도 지지와 격려가 될 수 있기를 바란다. 글을 읽는 그 순간, 내가 얼마나 진심으로 그들을 사랑했는지를 느낄 수 있기를 희망한다. 이 글들이 그들의 삶에 작은 등불이 되어, 어두운 시간 속에서도 길을 비추어 주기를 소망한다. 글쓰기를 통해 나는 단순히 기록을 남기려는 것이 아니라, 나의 진심과 사랑을 영원히 남기고 싶다.

내게 글쓰기라는 강력한 도구가 있다는 게 죽음 앞에서 참 고맙다.

Epilogue

글쓰기를 시작하면서, '잘 먹고 잘 살 수 있을 것 같다'는 막연한 자신감이 내 안에 자리 잡았다. 예전에는 어떻게 하면 잘 살 수 있을까 고민만 했던 나였지만, 글을 쓰기 시작한 후부터는 그 해답이 손에 닿을 듯 느껴졌다. 물론, 여전히 그 확신이 어렴풋하기는 하다. 그러나 부정하기 싫은 이 자신감은 마치 길을 밝혀주는 등불처럼 내 앞에 놓인 가능성들을 비추고 있다.

글쓰기를 통해 세상에 나의 이야기를 전하고, 그로 인해 삶이 조금씩 더 풍요로워질 것이라는 믿음이 나를 움직이게 한다. 잘 먹고 잘 사는 것, 그것은 단순히 물질적인 풍요로움만을 의미하는 것이 아니다. 내가 쓴 글이 누군가의 마음에 닿고, 그로 인해 내 안의 목소리가 더 단단해지는 과정을 통해 얻는 자아실현과 만족감, 그 모든 것이 포함된 삶이다.

이제 나는 그 막연한 자신감을 현실로 만들어가는 여

정을 걸으려 한다. 글을 쓰는 과정 속에서 나 자신을 더 깊이 들여다보고, 더 넓은 세상을 경험하며, 그렇게 조금씩 나의 이야기를 완성해나갈 것이다. 나의 글이 누군가에게 닿을 때, 그 순간이 바로 내가 잘 먹고 잘 사는 삶의 시작이 아닐까.

잘 먹고 잘 살기. 여기서 '잘 먹는 것'은 건강의 영역. 건강하기 위해서는 내 몸과 마음을 잘 살펴야 하고, 글을 쓰는 과정에서 나는 자연스럽게 내 마음을 돌아보게 된다. 또한, 글을 쓰기 위해서는 내 몸도 돌봐야 한다. 이렇게 글쓰기는 나의 몸과 마음을 살피는 중요한 과정이 된다.

내게 있어 잘 산다는 것은 자유롭고 행복하게 사는 것이다. 자유란, 가고 싶을 때 가고, 먹고 싶을 때 먹고, 하고 싶을 때 할 수 있는 여유를 의미한다. 글쓰기를 통해 나는 이러한 자유를 이룰 수 있다는 확신이 있다. 글쓰기는 단순한 작업이 아닌, 내 삶을 써내는 행위이기 때문이다. 행복은 관계에서 온다. 글을 쓰면 나와의 관계가 좋아지고, 가족과의 관계도 편안해지며, 내 중심이 서 있으므로 타인과의 관계도 더욱 원만해진다. 적어도 나에게는 그렇다.

글을 잘 쓰기 위해서는 먼저 삶을 대하는 태도와 성

찰이 필요하다. 글쓰기는 궁극적으로 잘 살아내는 것이며, 잘 살지 못하면 좋은 글을 쓸 수 없다는 것을 이해하고 있다. 물론 좋은 글을 쓴다고 해서 자동으로 좋은 삶이 보장되지는 않지만, 삶을 진정으로 대하는 사람은 글에서도 그 진실함이 자연스럽게 드러난다.

쓰면 보이고, 보이면 안다. 알면 제대로 행하게 되고, 제대로 행함은 잘 사는 삶이다. 이 순환을 알게 된 지금 나는 글을 쓰고 있다.

글쓰기는 나를 더 깊이 이해하게 하고, 나의 감정과 경험을 진실하게 드러내는 마법을 부리고 있다. 매일의 문장 속에서 나는 내 안의 다양한 감정을 발견하고, 나만의 길을 따라간다. 이 여정 속에서 나는 나의 진정한 모습을 찾고, 내 삶의 본질을 이해하며, 더 나은 내가 되어가는 과정을 경험할 것이다.

글만 쓰면 될 것을 책은 왜 냈을까? 의문이 들 즈음, 버지니아 울프의 이 한마디가 나를 북돋워 준다.

"나는 여러분에게 아무리 사소하거나 아무리 광범위한 주제라도 망설이지 말고 어떤 종류의 책이라도 쓰라고 권할 것입니다. 무슨 수를 써서라도 여행하고 빈둥거리며 세계의 미래와 과거를 사색하고 책들을 보고 공상에 잠기며 길거리를 배회하고 사고의 낚싯

줄을 흐름 속에 깊이 담글 수 있기에 충분한 돈을 여러분 스스로 소유하게 되기를 바랍니다."
-버지니아 울프『자기만의 방』

140여년전의 버지니아 울프가 우리에게 해주는 말 너무나 혁신적이지 않은가. 나는 울프의 말을 따라 부끄럽지만 당당하게 책을 썼다.

나의 글쓰기 스승이신 김재용작가님의 글귀처럼 내 첫 책은 '후미진 풀숲에 혼자 뚝 떨어져 피어있는 풀꽃' 같은 책이지만 가장 나다운 모습이므로 빛이 난다.

앞으로 계속 쓰여질 더 빛날 나다운 책들을 고대하며, 나의 처음 책 독자가 되어 주신 당신께 깊은 감사와 함께 무한 축복이 함께 하길 기원한다.